U0084720

New TOEIC Model Test 1 詳解

PART 1

1. (**C**) (A) 他正走在街上。
   (B) 他正站在隊伍中。
   (C) <u>他正在洗手。</u>
   (D) 他正坐在他的位子上。
   * ***in line*** 成一列隊的

2. (**C**) (A) 孩子們在睡覺。
   (B) 孩子們在家裡讀書。
   (C) <u>孩子們在街上玩。</u>
   (D) 孩子們在游泳池游泳。
   * children〔'tʃɪldrən〕*n. pl.* 孩子　　pool〔pul〕*n.* 游泳池

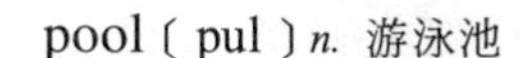

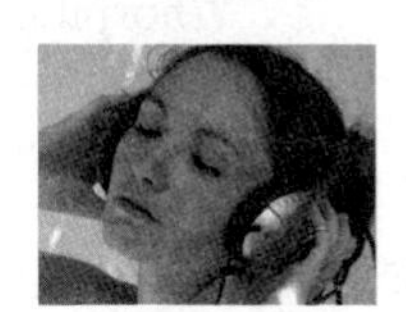

3. (**D**) (A) 他們在看電視。
   (B) 他們在建造房子。
   (C) 他在穿戴蝴蝶結領結。
   (D) <u>她在聽音樂。</u>
   * build〔bɪld〕*v.* 建造
   bow〔bau〕*n.* 蝴蝶結　　tie〔taɪ〕*n.* 領結

4. (**B**) (A) 這是一間圖書館。
   (B) <u>這是一間實驗室。</u>
   (C) 這是一個法庭。
   (D) 這是一間銀行。
   * library〔'laɪ,brɛrɪ〕*n.* 圖書館
   laboratory〔'læbrə,torɪ〕*n.* 實驗室
   courtroom〔'kort,rum〕*n.* 法庭

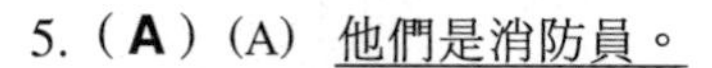

5. (**A**) (A) <u>他們是消防員。</u>
   (B) 他們是工廠員工。
   (C) 他們是腳踏車信差。
   (D) 他們是收垃圾的人。

* ***fire fighter*** 消防員　factory (ˈfæktərɪ) *n.* 工廠
messenger (ˈmɛsn̩dʒɚ) *n.* 信差　garbage (ˈgɑrbɪdʒ) *n.* 垃圾
collector (kəˈlɛktɚ) *n.* 收集者

6. (**A**) (A) 狗在跳過柵欄。

(B) 狗正躺在泥土裡。
(C) 狗在追貓。
(D) 狗在吃塑膠袋。

* fence (fɛns) *n.* 柵欄
lie (laɪ) *v.* 躺　dirt (dɝt) *n.* 泥
chase (tʃes) *v.* 追趕　plastic (ˈplæstɪk) *adj.* 塑膠的

7. (**C**) (A) 這是一間醫院。

(B) 這是一間醫生的辦公室。

(C) 這是一間餐廳。
(D) 這是一間服飾店。

* hospital (ˈhɑspɪtl̩) *n.* 醫院
doctor (ˈdɑktɚ) *n.* 醫生
restaurant (ˈrɛstərənt) *n.* 餐廳　clothing (ˈkloðɪŋ) *n.* 衣類

8. (**D**) (A) 這是一個陪審團審判。
(B) 這是一個促銷活動。
(C) 這是一個快樂的場合。
(D) 這是一個商業會議。

* jury (ˈdʒurɪ) *n.* 陪審團
trial (ˈtraɪəl) *n.* 審判
sales (selz) *adj.* 銷售的　promotion (prəˈmoʃən) *n.* 促銷
joyous (ˈdʒɔɪəs) *adj.* 快樂的　occasion (əˈkeʒən) *n.* 場合
meeting (ˈmitɪŋ) *n.* 會議

9. (**B**) (A) 這是一台影印機。
(B) 這是一台傳眞機。

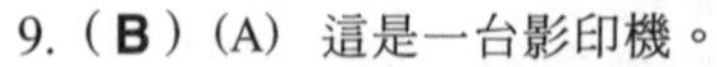

(C) 這是一台筆記型電腦。
(D) 這是一台空調。

* photocopier (ˈfotəˌkɑpɪɚ) *n.* 影印機　fax (fæks) *n.* 傳眞機
laptop (ˈlæpˌtɑp) *n.* 筆記型電腦　***air conditioner*** 空調

10.（C）(A) 他們剛抵達遊樂園。

(B) 他們正走出地鐵。

(C) 他們正在上飛機。

(D) 他們正在穿越人群。

* amusement〔ə'mjuzmənt〕*n.* 娛樂

amusement park 遊樂園　subway〔'sʌbˌwe〕*n.* 地下鐵

board〔bord〕*v.* 上（飛機、車、船）

fight〔faɪt〕*v.* 奮鬥　crowd〔kraʊd〕*n.* 人群

PART 2 詳解

11.（A）那個站在櫃台的女人是誰？

(A) 我從來沒看過她。　(B) 她站在櫃台那裡。

(C) 是的，就是她。

* counter〔'kaʊntɚ〕*n.* 櫃台

12.（C）你有預約去看牙醫嗎？

(A) 你需要預約。　(B) 是的，你可以看到它。

(C) 是的，我有。

* appointment〔ə'pɔɪntmənt〕*n.* 預約

dentist〔'dɛntɪst〕*n.* 牙醫

13.（B）可以請你教我怎麼使用新的咖啡機嗎？

(A) 我把它作成黑咖啡。

(B) 當然。它非常的簡單。

(C) 在六月六號。

* coffeemaker〔'kɔfɪˌmekɚ〕*n.* 煮咖啡機

14.（A）你要去圖書館嗎？

(A) 是的，我現在要離開。

(B) 他在圖書館。　(C) 我在讀書。

15. (**A**) 面試如何？

(A) 進行地很順利。　(B) 我等不及要面試了。

(C) 問我任何問題。

* interview〔ˈɪntɚˌvju〕*n.* 面試

16. (**A**) 凱文爲什麼離開派對？

(A) 他感覺不舒服。　(B) 他在那裡。

(C) 這不多。

17. (**C**) 這台公車往博物館嗎？

(A) 搭公車。　(B) 我一直在火車上等。

(C) 不，它不是。

* museum〔mjuˈziəm〕*n.* 博物館

18. (**B**) 開始下雨了嗎？

(A) 我想剛才是。

(B) 是的，但只有幾滴。

(C) 它因雨被取消。

* drop〔drɑp〕*n.* 滴　***due to*** 由於

19. (**B**) 他是你的表親，不是嗎？

(A) 我沒有姊姊。

(B) 不。我的表親是棕色頭髮。

(C) 他把我當成是家人對待。

* cousin〔ˈkʌzn̩〕*n.* 堂（表）兄弟姊妹；堂（表）親
treat〔trit〕*v.* 對待

20. (**B**) 你比較喜歡果汁還是茶？

(A) 是 T 開頭的湯瑪斯。

(B) 請給我果汁。

(C) 一直都是。

* prefer〔ˈprɪˈfɝ〕*v.* 比較喜歡

21. (**C**) 請問要點什麼？

(A) 他不遵守任何人的命令。

(B) 把它算在我的帳單上。 (C) 我要點凱薩沙拉。

* order ('ɔrdɚ) *n.* 點餐；命令

bill (bɪl) *n.* 帳單 ***Caesar salad*** 凱薩沙拉

22. (**B**) 我找不到我的隨身碟？

(A) 下次再用隨身碟。 (B) 它插在你的筆電上。

(C) 把它存成 Word 檔。

* ***USB flash drive*** 隨身碟 plug (plʌg) *v.* 插入

23. (**C**) 修屋頂將要花多少錢？

(A) 我們處在困境中。 (B) 屋頂有個大洞。

(C) 兩千元。

* fix (fɪks) *v.* 修理 *n.* 困境 roof (ruf) *n.* 屋頂

24. (**C**) 你見過賴瑞嗎？

(A) 不，她還沒。 (B) 是的，你可以。

(C) 不，我還沒。

25. (**A**) 你爲什麼這麼早就在這裡？

(A) 幾乎沒有塞車。 (B) 他從來都沒準時過。

(C) 交通很可怕。

* traffic ('træfɪk) *n.* 交通 ***on time*** 準時

26. (**B**) 下週選舉你要投給誰？

(A) 每一票都算數。

(B) 我很抱歉，這是私人的事。

(C) 你會成爲一個很好的副總統。

* vote (vot) *v.* 投票 election (ɪ'lɛkʃən) *n.* 選舉

count (kaʊnt) *v.* 計數 personal ('pɝsn̩l) *adj.* 私人的

vice president (vaɪs'prɛzədənt) *n.* 副總統

27. (**C**) 你今天會完成報告嗎？
(A) 你何時完成都可以。
(B) 如果沒有的話，我會去告你的狀。
(C) 不，我想我還需要一天。

* report〔rɪ'port〕*n.* 報告

28. (**B**) 會議有多久？
(A) 留言給我的秘書。　(B) 大約一個半小時。
(C) 我們談了銷售數據。

* secretary〔'sɛkrə,tɛrɪ〕*n.* 秘書　figure〔'fɪgjɚ〕*n.* 數據

29. (**B**) 你去剪頭髮了嗎？
(A) 是的，我最近常常睡覺。
(B) 是的。你怎麼想？
(C) 是的，我瘦了幾公斤。

* hair cut〔'hɛr,kʌt〕*v.* 剪髮　kilo〔'kɪlo〕*n.* 公斤

30. (**A**) 誰將接替史密斯先生成爲業務主管？
(A) 他們還沒宣布。
(B) 不，我沒辦法接下。
(C) 是的，他會在下午被換掉。

* replace〔rɪ'ples〕*v.* 接替
announcement〔ə'naʊnsmənt〕*n.* 宣布

31. (**A**) 網路又壞了。我沒辦法使用網路。
(A) 最好打電話給資訊部門的人。
(B) 不，它在網路上。
(C) 我在瀏覽網路。

* network〔'nɛt,wɝk〕*n.* 網路
access〔'æksɛs〕*v.* 使用（網路）
database〔'detə,bes〕*n.* 資料庫　***IT*** 資訊部門
surf〔sɝf〕*v.* 瀏覽（網路）

32. (**C**) 你固定地運動嗎？
(A) 好，我從現在開始跑步。
(B) 不，我在網路上獲得新聞。
(C) 我每星期去健身房三次。

* exercise〔ˈɛksəˌsaɪz〕*v.* 運動
regular〔ˈrɛgjələ〕*adj.* 有規律的　gym〔dʒɪm〕*n.* 健身房

33. (**B**) 你爲什麼辭去你的工作？
(A) 我昨天被開除了。　(B) 我再也不能忍受了。
(C) 地球。

* quit〔kwɪt〕*v.* 辭職　***get fired*** 被開除
couldn't take it 不能忍受　earth〔ɝθ〕*n.* 地球

34. (**C**) 你在看什麼？
(A) 我在聽嘻哈歌曲。
(B) 我在注意我的體重。
(C) 一部泰國大象的紀錄片。

* hip-hop〔ˈhɪpˌhɑp〕*n.* 嘻哈歌曲【1980年代源起於美國城市黑人青少年的曲風】　weight〔wet〕*n.* 重量
documentary〔ˌdɑkjəˈmɛntərɪ〕*n.* 紀錄片

35. (**C**) 你對你的保險規劃滿意嗎？
(A) 心臟停止跳動。
(B) 是的，它很好吃。
(C) 保險範圍很好但保險費有點高。

* satisfied〔ˈsætɪsˌfaɪd〕*adj.* 滿意的
insurance〔ɪnˈʃurəns〕*n.* 保險
cardiac〔ˈkɑrdɪˌæk〕*adj.* 心臟的
arrest〔əˈrɛst〕*n.* 停止　***cardiac arrest*** 心臟停止跳動
delicious〔dɪˈlɪʃəs〕*adj.* 好吃的
coverage〔ˈkʌvərɪdʒ〕*n.* 保險範圍
premium〔ˈprimɪəm〕*n.* 保險費

36. (**A**) 公司的聖誕節派對今年會在哪裡舉辦？

(A) 在茶水間，像往常一樣。

(B) 他在廁所。

(C) 聖誕節快樂！

* hold〔hold〕*v.* 舉辦　break〔brek〕*n.* 休息
Merry Christmas! 聖誕節快樂！

37. (**B**) 這裡很熱？

(A) 穿上毛衣。　(B) 打開空調。

(C) 綁上你的鞋帶。

* ***put on*** 穿上　sweater〔ˈswɛtɚ〕*n.* 毛衣
turn on 打開　tie〔taɪ〕*v.* 綁

38. (**B**) 你之前有和莎拉透漏消息嗎？

(A) 莎拉是壞消息。

(B) 還沒。她將會崩潰。

(C) 我看見它的時候我將會相信。

* break〔brek〕*v.* 透露（壞消息）
crush〔krʌʃ〕*v.* 崩潰

39. (**A**) 你的期中考考的如何？

(A) 比我預期的還要好。

(B) 我們在半路了。

(C) 並非完全如此。

* mid-term〔ˈmɪdˈtɝm〕*adj.* 學期中的
expect〔ɪkˈspɛkt〕*v.* 預期
halfway〔ˈhæfˈwe〕*adj.* 中間的

40. (**C**) 你有記得去將前門上鎖吧？

(A) 噢，我沒帶鑰匙。　(B) 他們在中午開。

(C) 是的，我有。

PART 3 詳解

***Questions 41 through 43** refer to the following conversation.*

M：這個月我遲繳汽車分期付款了。你想你可以借我一點錢嗎？

W：你需要多少？

M：我需要至少兩百塊錢。我可以下星期一還你。

W：讓我先確認我的帳戶餘額，但我不覺得這會是個問題。

* payment〔ˈpemənt〕*n.* 分期付款　loan〔lon〕*v.* 把錢借出
at least 至少　balance〔ˈbæləns〕*n.* 餘額

41. (**A**) 男士向女士要求什麼？
(A) 貸款。　(B) 載他去銀行。
(C) 幫忙計畫。　(D) 一段關係的建議。
* loan〔lon〕*n.* 貸款　ride〔raɪd〕*n.* 搭乘
project〔ˈprɑdʒɛkt〕*n.* 計畫　advice〔ədˈvaɪs〕*n.* 建議
relationship〔rɪˈleʃənˌʃɪp〕*n.* 關係

42. (**B**) 男士的問題是什麼？
(A) 他付不出租金。　(B) 他遲繳汽車分期付款。
(C) 他在爲一筆大開銷存錢。
(D) 他對錢沒有責任感。
* rent〔rɛnt〕*n.* 租金　purchase〔ˈpɜtʃəs〕*n.* 購買
irresponsible〔ˌɪrɪˈspɑnsəbl̩〕*adj.* 無責任感的

43. (**D**) 女士暗示什麼？
(A) 她會對貸款收利息。
(B) 她沒有足夠的錢借出。
(C) 她不喜歡借錢給朋友。
(D) 她會借錢給男士。
* imply〔ɪmˈplaɪ〕*v.* 暗示　interest〔ˈɪntərɪst〕*n.* 利息

Questions 44 through 46 *refer to the following conversation.*

W：晚上好，歡迎來到羅絲蒂・川普。你們有訂位嗎？
M：我恐怕沒有。有可能有三個人的位置嗎？

W：噢，我很抱歉，先生。我們的座位今晚都被訂完了。但是，如果你不介意等的話，可能會有人取消。這樣的話，我就可以把你們擠進去。
M：沒關係。我只好試旁邊別家了。

* rusty〔ˈrʌstɪ〕*adj.* 生銹的　trombone〔ˈtrɑmbon〕*n.* 長號
reservation〔ˌrɛzɚˈveʃən〕*n.* 預約
completely〔kəmˈplitlɪ〕*adv.* 完全地　book〔bʊk〕*v.* 預訂
cancellation〔ˌkænslˈeʃən〕*n.* 取消　squeeze〔skwiz〕*v.* 擠

44. (**A**) 對話在哪裡發生？
(A) 在餐廳。　(B) 在辦公室。
(C) 在公車上。　(D) 在教堂。
* restaurant〔ˈrɛsərənt〕*n.* 餐廳　church〔tʃɝtʃ〕*n.* 教堂

45. (**C**) 男士沒有什麼？
(A) 一場約會。　(B) 一張用卡。
(C) 一項預約。　(D) 一項授權。
* appointment〔əˈpɔɪntmənt〕*n.* 約會
credit card 信用卡
authorization〔ˌɔθərəˈzeʃən〕*n.* 授權

46. (**A**) 男士暗示什麼？
(A) 他不願意等。
(B) 他和陌生人相處有困難。
(C) 他覺得隔壁間也很忙。
(D) 他非常的餓。
* willing〔ˈwɪlɪŋ〕*adj.* 樂意的　relate〔rɪˈlet〕*v.* 相處
stranger〔ˈstrendʒɚ〕*n.* 陌生人
extremely〔ɪkˈstrimlɪ〕*adv.* 非常

***Questions 47 through 49** refer to the following conversation.*

M：看來今晚我們要加班了。老闆又寄回來季收入報告。
W：那個男人有滿足過嗎？這次又怎麼了？

M：他說銷售數字不對。或者明確一點說，不可以是這樣的。
W：他憑什麼這樣說？憑他熟悉的會計知識？我們是和數字工作，而不是他異想天開的點子。

* overtime〔ˈovɚˌtaɪm〕*adv.* 額外地；超時地
quarterly〔ˈkwɔrtɚlɪ〕*n.* 季
earnings〔ˈɝnɪŋz〕*n. pl.* 收入　　satisfied〔ˈsætɪsˌfaɪd〕*adj.* 滿足的
specifically〔spɪˈsɪfɪkl̩ɪ〕*adv.* 明確地
intimate〔ˈɪntəmɪt〕*adj.* 熟悉的
accounting〔əˈkaʊntɪŋ〕*n.* 會計
fantastic〔fænˈtæstɪk〕*adj.* 異想天開的

47. (**B**) 說話者間的關係最有可能是什麼？
(A) 同學。　　(B) 同事。
(C) 室友。　　(D) 生意合夥人。

* classmate〔ˈklæsˌmet〕*n.* 同學
colleague〔ˈkɑlig〕*n.* 同事
roommate〔ˈrumˌmet〕*n.* 室友
partner〔ˈpɑrtnɚ〕*n.* 合夥人

48. (**D**) 他們的問題是什麼？
(A) 他們對老闆說謊。　　(B) 他們未趕上截止日期。
(C) 他們找不到銷售數據。
(D) 他們必須加班。

* lie〔laɪ〕*v.* 說謊　　miss〔mɪs〕*v.* 未趕上
deadline〔ˈdɛdˌlaɪn〕*n.* 截止日期

49. (**A**) 這位女士暗示了關於老闆的什麼事？
(A) 他很難滿足。　　(B) 他對過錯很寬容。
(C) 他很熟悉會計經驗。　　(D) 他不適合他的職位。

* please〔 pliz 〕*v.* 使滿足
generous〔ˈdʒɛnərəs 〕*adj.* 寬容的
fault〔 fɔlt 〕*n.* 過錯　familiar〔 fəˈmɪljɚ 〕*adj.* 熟悉的
practice〔ˈpræktɪs 〕*n.* 經驗
unsuited〔 ʌnˈsutɪd 〕*adj.* 不適合的

***Questions 50 through 52** refer to the following conversation.*

W：嗨，肯尼斯。你有空嗎？我那天聽到一個很擾人的傳聞，而我在懷疑它是不是眞的。

M：進來，凱蒂。請坐。妳提的傳聞是我要離開公司的那個？

W：對的…我聽到類似的事情。

M：嗯，這個傳言是眞的。我的最後一天是星期五。

W：哇哦，這眞是令人震驚。你介意我問爲什麼嗎？

* disturbing〔 dɪˈstɝbɪŋ 〕*adj.* 擾人的　rumor〔ˈrumɚ 〕*n.* 傳聞
wonder〔ˈwʌndɚ 〕*v.* 懷疑　refer〔 rɪˈfɝ 〕*v.* 提及
shocking〔ˈʃɑkɪŋ 〕*adj.* 令人震驚的

50. (**A**) 這則對話最有可能發生在哪裡？
(A) 在辦公室。　(B) 在教室。
(C) 在公車上。　(D) 在街上。

51. (**C**) 女士聽到了什麼？
(A) 很大的噪音。　(B) 悅耳的音樂。
(C) 傳聞。　(D) 令人害怕的尖叫。

* pleasant〔ˈplɛznṭ 〕*adj.* 令人愉快的
frightening〔ˈfraɪtṇɪŋ 〕*adj.* 令人害怕的
scream〔 skrim 〕*n.* 尖叫

52. (**B**) 我們知道男士的什麼？
(A) 他發起了傳聞。　(B) 他要離開公司。
(C) 他賺很多錢。　(D) 他沒有老到可以退休。

* retire〔 rɪˈtaɪr 〕*v.* 退休

Questions 53 through 55 refer to the following conversation.

M：噢，我不知道到要怎麼辦！

W：有什麼問題？

M：我的房東把大樓賣給開發者而我現在必須搬家。我找到一間新公寓但他們不準養寵物。我的貓該怎麼辦？

W：你試過問你的朋友看他們是否能養你的貓嗎？找個能夠養貓的地方呢？我確定你可以想出辦法。

* landlord〔ˈlændˌlɔrd〕*n.* 房東
developer〔dɪˈvɛləpɚ〕*n.* 開發者
pet〔pɛt〕*n.* 寵物　figure〔ˈfɪgjɚ〕*v.* 想；計畫

53. (**B**) 說話者們主要在討論什麼？
(A) 男士的工作。　(B) 男士的貓。
(C) 女士的家庭。　(D) 他們的配偶。

* spouse〔spaʊs〕*n.* 配偶

54. (**B**) 男士爲什麼需要搬家？
(A) 房東不準養寵物。　(B) 房東賣了大樓。
(C) 大樓因大火損壞。　(D) 下個月房租加倍。

* damage〔ˈdæmɪdʒ〕*v.* 損壞

55. (**C**) 女士建議什麼？
(A) 房東應負責養貓。
(B) 男士應該要責備他的朋友。
(C) 男士有幾個選擇。
(D) 貓應該被丟掉。

* suggest〔səgˈdʒɛst〕*v.* 建議
responsible〔rɪˈspɑnsəbḷ〕*adj.* 應負責任的
blame〔blem〕*v.* 責備　option〔ˈɑpʃən〕*n.* 選擇
abandon〔əˈbændən〕*v.* 遺棄

Questions 56 through 58 refer to the following conversation.

W：日安。我的名字是賈姬・佩澤，來自全球拓廣公司。我可以和一家之主說話嗎？

M：我就是一家之主，讓我省下彼此的時間，大姐。我沒有興趣。

W：但是，先生。我不是要賣東西。全球拓廣公司只是在實施關於你的社區的社會計畫的簡短電話調查。我只會要求你回答幾個問題。

M：好吧。但快一點。我很忙。

* outreach〔autˊritʃ〕*n.* 拓廣
interested〔ˊɪntərɪstɪd〕*adj.* 感興趣的
sell〔sɛl〕*v.* 賣　　conduct〔ˊkɑndʌkt〕*v.* 實施
survey〔sɚˊve〕*n.* 調查　　program〔ˊprogræm〕*n.* 計畫
community〔kəˊmjunətɪ〕*n.* 社區

56. (**D**) 女士的主要目標是什麼？

(A) 賣產品。　　(B) 懇求捐款。
(C) 提供促銷。　　(D) 實施調查。

* objective〔əbˊdʒɛktɪv〕*n.* 目標
product〔ˊprɑdəkt〕*n.* 產品
solicit〔səˊlɪsɪt〕*v.* 懇求
donation〔doˊneʃən〕*n.* 捐款

57. (**A**) 爲什麼男士一開始聽起來很惱怒？

(A) 他認爲女士想要賣東西。
(B) 他認爲女士打錯電話。
(C) 他認爲女士是詐騙高手。
(D) 他認爲女士應該要和他妻子說。

* annoyed〔əˊnɔɪd〕*adj.* 惱怒的
at first 起先　　scam〔skæm〕*n.* 詐欺
artist〔ˊɑrtɪst〕*n.* 高手

58. (**D**) 男士同意什麼？

(A) 參與他的社區。 (B) 聆聽強行推銷。
(C) 填寫註册表格。 (D) 回答幾個問題。

* involved〔ɪn'vɑlvd〕*adj.* 參與的
pitch〔pɪtʃ〕*n.* 強行推銷
registration〔ˌrɛdʒɪ'streʃən〕*n.* 註册
form〔fɔrm〕*n.* 表格

Questions 59 through 61 *refer to the following conversation.*

M：我非常期待今晚。
W：對啊，我也是。距離上次我看百老匯的戲劇已經很久了。

M：但是評論一直都不是很好。
W：我不太相信評論家。此外，有湯姆・克魯斯和威爾・史密斯領銜主演，它不可能會這麼差。

* Broadway〔'brɔdˌwe〕*n.* 百老匯 review〔rɪ'vju〕*n.* 評論
take stock in 相信 critic〔'krɪtɪk〕*n.* 評論家
lead〔lid〕*n.* 主角 role〔rol〕*n.* 角色

59. (**C**) 說話者主要在討論什麼？

(A) 一場音樂會。 (B) 一部電影。
(C) 一齣戲劇。 (D) 一場運動比賽。

60. (**C**) 男士說什麼？

(A) 電影賣完了。 (B) 故事很有趣。
(C) 表演得到了一些不好的評論。
(D) 樂團很無聊。

* ***sold out*** 賣完的 band〔bænd〕*n.* 樂團

61. (**A**) 女士說什麼？

(A) 她不聽評論家。
(B) 她寫了幾封信給編輯。

(C) 她常常看百老匯的戲劇。

(D) 她以爲戲劇會更長。

* editor〔ˈɛdɪtɚ〕*n.* 編輯
frequently〔ˈfrikwəntlɪ〕*adv.* 常常

Questions 62 through 64 *refer to the following conversation.*

W：嗨，羅勃。魏斯曼廣播廣告的腳本進展的如何？

M：它進展地相當好，謝謝妳的詢問，艾琳。我可以爲妳做什麼嗎？

W：不，我只是好奇而已。如果需要的話，我原本是要提供援助。

M：我很感謝妳的提供，但它已經在掌控之下了。如果妳眞的在找事情做，艾琳，去問瑪莉安看她是否需要幫忙平面廣告。

* script〔skrɪpt〕*n.* 腳本　ad〔æd〕*n.* 廣告
come along 進展　curious〔ˈkjurɪəs〕*adj.* 好奇的
assistance〔əˈsɪstəns〕*n.* 援助
appreciate〔əˈpriʃɪˌet〕*v.* 感謝
under control 處於控制之下　print〔prɪnt〕*n.* 印刷

62. (**A**) 對話最有可能發生在什麼地方？

(A) 在廣告公司。　(B) 在廣播電台。
(C) 魏斯曼的總部。　(D) 在印刷店。

* advertising〔ˈædvɚˌtaɪzɪŋ〕*n.* 廣告　firm〔fɝm〕*n.* 公司

63. (**B**) 艾琳提供什麼？

(A) 錢。　(B) 援助。
(C) 同情心。　(D) 忠誠。

* sympathy〔ˈsɪmpəθɪ〕*n.* 同情心　loyalty〔ˈlɔɪəltɪ〕*n.* 忠誠

64. (**B**) 男士建議什麼？

(A) 艾琳應該回家。　(B) 艾琳應該要去見瑪莉安。
(C) 艾琳應該停止吵鬧。　(D) 艾琳應該要更幫忙。

* noisy〔ˈnɔɪzɪ〕*adj.* 吵雜的

Questions 65 through 67 *refer to the following conversation.*

M：抱歉，我遲到了。你知道市中心今天發生了什麼事嗎？交通眞是令人難以置信。

W：市政廳有一個抗議活動？

M：是關於什麼？

W：城市的清潔工人罷工抗議薪水被調降和臨時解雇。

* downtown〔,daʊn'taʊn〕*n.* 市中心
traffic〔'træfɪk〕*n.* 交通
unbelievable〔,ʌnbə'livəbḷ〕*adj.* 難以置信的
protest〔'protɛst〕*n.* 抗議
sanitation〔,sænə'teʃən〕*n.* 衛生
strike〔straɪk〕*n.* 罷工　wage〔wedʒ〕*n.* 薪水
cut〔kʌt〕*n.* 縮減　layoff〔'le,ɔf〕*n.* 臨時解雇

65. (**D**) 男士在暗示什麼？
(A) 假日是出遊的壞時機。
(B) 在市中心有緊急事件。
(C) 他因天氣而遲到。
(D) 他花了比平常更久的時間到達公司。

* holiday〔'hɑlə,de〕*n.* 假日
emergency〔ɪ'mɝdʒənsɪ〕*n.* 緊急
weather〔'wɛðɚ〕*n.* 天氣

66. (**B**) 市中心發生了什麼事？
(A) 一場遊行。
(B) 一個抗議活動。
(C) 一場慈善活動。
(D) 一場公開執行死刑。

* parade〔pə'red〕*n.* 遊行　charity〔'tʃærətɪ〕*n.* 慈善
execution〔,ɛksɪ'kjuʃən〕*n.* 執行死刑

67. (**B**) 它爲什麼發生？

(A) 交通狀況值得信賴。

(B) 城市工人對最近的改變很不滿意。

(C) 棒球隊贏得冠軍。

(D) 國際特赦組織在發起募款活動。

* condition〔kən'dɪʃən〕*n.* 狀況
believable〔bə'livəbl̩〕*adj.* 可信賴的
championship〔'tʃæmpɪən,ʃɪp〕*n.* 冠軍
amnesty〔'æm,nɛstɪ〕*n.* 特赦　sponsor〔'spɑnsɚ〕*v.* 發起
fund-raiser〔'fʌnd,rezɚ〕*n.* 募款活動

Questions 68 through 70 refer to the following conversation.

W：不好意思。可以請你告訴我如何從這裡到總圖書館嗎？
M：妳想搭公車還是搭地鐵？

W：我想只要簡單的都行。我不知道。
M：地鐵最簡單。坐綠線。總圖書館站其實就在圖書館下方。

* subway〔'sʌb,we〕*n.* 地鐵　guess〔gɛs〕*v.* 想
underneath〔,ʌndɚ'niθ〕*prep.* 在…之下

68. (**B**) 這則對話最有可能發生在哪裡？

(A) 在市公車上。　(B) 在市人行道。

(C) 在總圖書館。　(D) 在地鐵裡。

* sidewalk〔'saɪd,wɔk〕*n.* 人行道

69. (**C**) 女士問了什麼？

(A) 錢。　(B) 同情心。

(C) 路徑。　(D) 支援。

70. (**B**) 接下來最有可能發生什麼事？

(A) 女士會去等公車。　(B) 女士會搭地鐵。

(C) 男士會載女士去銀行。　(D) 男士會給女士一些錢。

PART 4 詳解

Questions 71 through 73 *refer to the following recording.*

在網路上增加瀏覽率不是件簡單的事。我應該要知道這件事畢竟我是個網路行銷服務最大的網站之一的擁有人。我一直都在監看網站上能夠提供價格合理的廣告擺放位置。然而當我考慮到自己設立網站的花費以及看到百萬美元首頁的可觀的瀏覽率時，我無法抗拒。我下單訂購，而這也是個正確的選擇。我們的瀏覽率大大地增加，而十九號星期一是我們生意最好的一天。我們在整個週末加倍購買，更不用提我們的盈收暴增。艾利克斯，謝謝你合理的價格和你給我們的瀏覽量。祝你順利達到你的百萬元目標。

* task〔tæsk〕*n.* 工作　own〔on〕*v.* 擁有
website〔'wɛb,saɪt〕*n.* 網站　promotion〔prə'moʃən〕*n.* 促銷
service〔'sɝvɪs〕*n.* 服務　lookout〔'lʊk'aʊt〕*n.* 監視
reasonable〔'riznəbḷ〕*adj.* 合理的　cost〔kɔst〕*n.* 費用
consider〔kən'sɪdɚ〕*v.* 考慮　host〔host〕*v.* 主辦
resist〔rɪ'zɪst〕*v.* 抗拒；忍耐
substantially〔səb'stænʃəlɪ〕*adv.* 大大地；充份地
double〔'dʌbḷ〕*v.* 使…加倍　order〔'ɔrdɚ〕*n.* 訂單
go through the roof 暴增　mark〔mɑrk〕*n.* 目標

71. (**B**) 這段話的主要目的是什麼？
(A) 產品評析。　(B) 爲一項服務提供推薦。
(C) 推銷。　(D) 解釋政策轉變。

* testimonial〔,tɛstə'monɪəl〕*n.* 推薦
policy〔'pɑləsɪ〕*n.* 政策

72. (**D**) 這段話的主題是什麼？
(A) 網路取得。　(B) 網路隱私。
(C) 網路安全。　(D) 網路廣告。

* access〔'æksɛs〕*n.* 取得　privacy〔'praɪvəsɪ〕*n.* 隱私

73.（**B**）我們知道說話者的什麼事？

(A) 他討厭被困在車陣裡。

(B) 他擁有一個網路行銷公司。

(C) 他一年賺一百萬元。

(D) 他從事蓋屋頂事業。

* ***get stuck in traffic*** 被困在車陣裡
roofing（ˈrufɪŋ）*n.* 蓋屋頂

***Questions 74 through 76** refer to the following announcement.*

這架飛機有數個緊急出口──機頭、機尾，和兩側機翼前方。現在請花一些時間找出你最近的緊急出口。在一些情況下，你最近的出口可能在你後面。如果我們必須疏散這架飛機，地板上的指示燈會引導你們到緊急出口。按照箭頭的方向移動門把可開啓門。每個門都備有充氣滑梯，它也可以卸下並當成救生筏來使用。氧氣和氣壓一直都被監控。在減壓的情況下，氧氣面罩會自動出現在你前面。將面罩拉向你以開始氧氣的供應。將它牢固地覆蓋於你口鼻上，將彈性綿繩固定在頭後方，並正常地呼吸。雖然袋子並不會鼓起，但氧氣正在流入面罩中。如果你和小孩或需要幫助的人一起旅行，先固定好你的面罩，然後再幫其他人。持續帶著面罩一直到穿制服的機組人員提醒你拿下來時。

* exit（ˈɛgzɪt）*n.* 出口　aircraft（ˈɛr,kræft）*n.* 飛機
aft（æft）*adv.* 機尾　wing（wɪŋ）*n.* 機翼
locate（ˈloket）*v.* 找出…的位置
evacuate（ɪˈvækju,et）*v.* 疏散　guide（gaɪd）*v.* 引導
handle（ˈhændl̩）*n.* 把手　direction（dəˈrɛkʃən）*n.* 方向
arrow（ˈæro）*n.* 箭頭　equip（ɪˈkwɪp）*v.* 裝備
inflatable（ɪnˈfletəbl̩）*adj.* 可充氣的　slide（slaɪd）*n.* 滑梯
detach（dɪˈtætʃ）*v.* 卸下　raft（ræf）*n.* 救生筏
Oxygen（ˈɑksədʒən）*n.* 氧氣　pressure（ˈprɛʃɚ）*n.* 壓力
monitor（ˈmɑnətɚ）*v.* 監視
decompression（,dikəmˈprɛʃən）*n.* 減壓

mask〔 mæsk 〕*n.* 面罩
automatically〔ˌɔtəˈmætɪklɪ 〕*adv.* 自動地
appear〔 əˈpɪr 〕*v.* 出現　flow〔 flow 〕*v.* 供應；流動
firmly〔ˈfɝmlɪ 〕*adv.* 牢固地　secure〔 sɪˈkjʊr 〕*v.* 固定
elastic〔 ɪˈlæstɪk 〕*adj.* 有彈性的　band〔 bænd 〕*n.* 帶；繩
breathe〔 brið 〕*v.* 呼吸　normally〔ˈnɔrmlɪ 〕*adv.* 正常地
inflate〔 ɪnˈflet 〕*v.* 使…鼓起　require〔 rɪˈkwaɪr 〕*v.* 需要
uniformed〔ˈjunəˌfɔrmd 〕*adj.* 制服　crew〔 kru 〕*n.* 機組人員
advise〔 ədˈvaɪz 〕*v.* 建議　remove〔 rɪˈmuv 〕*v.* 去除；拿掉

74. (**C**) 這項公告的目的是什麼？

(A) 通知乘客班機延誤。
(B) 解釋一項政策改變。
(C) 解釋安全程序。
(D) 促銷新的便宜機票。

* announcement〔 əˈnaʊnsmənt 〕*n.* 公告
inform〔 ɪnˈfɔrm 〕*v.* 通知　passenger〔ˈpæsṇdʒɚ 〕*n.* 乘客
delay〔 dɪˈle 〕*n.* 延誤　safety〔ˈseftɪ 〕*n.* 安全
procedure〔 prəˈsidʒɚ 〕*n.* 程序　fare〔 fɛr 〕*n.* 費用

75. (**D**) 飛機有幾個緊急出口？

(A) 一個。　(B) 兩個。
(C) 三個。　(D) 數個。

76. (**A**) 減壓的情況下會發生什麼事？

(A) 氧氣面罩會出現。
(B) 空服員會廣播。
(C) 機長會開啓繫緊安全帶的號誌。
(D) 地板上的指示燈會引導乘客到出口。

* attendant〔 əˈtɛndənt 〕*n.* 服務員
captain〔ˈkæptən 〕*n.* 機長　***turn on*** 開啓
fasten〔ˈfæsṇ 〕*v.* 繫緊　belt〔 bɛlt 〕*n.* 安全帶
sign〔 saɪn 〕*n.* 號誌

__Questions 77 through 79__ refer to the following news report.

當談到睡眠時，專家們發覺一個令人擔憂的趨勢——很多人以自行服用藥品的方式獲得睡眠。失眠症是一種無法入睡或無法保持足夠的長時間睡眠的情形，問題在於失眠症可能是另一種疾症所產生的失調，而不是在於失眠症本身。像是心臟病、老年癡呆症和賀爾蒙問題等疾病，可以強烈地影響睡眠模式，也可以影響精神狀況。最近的調查發現，有失眠症的人有一半都是他們自行診斷，並且自行治療，而且將近有三分之一的人，在沒有諮詢醫學專家下吃了超過一個月的安眠藥。

* expert〔'ɛkspɝt〕*n.* 專家　notice〔'notɪs〕*v.* 發覺
worrisome〔'wɝɪsəm〕*adj.* 令人擔憂的
trend〔trɛnd〕*n.* 趨勢
self-medicate〔,sɛlf'mɛdɪ,ket〕*v.* 自行服用藥品；自療
shuteye〔'ʃʌt,aɪ〕*n.* 睡覺　insomnia〔ɪn'sɑmnɪə〕*n.* 失眠
inability〔,ɪnə'bɪlətɪ〕*n.* 無能力　remain〔rɪ'men〕*v.* 繼續
adequate〔'ædəkwɪt〕*adj.* 足夠的　length〔lɛŋkθ〕*n.* 長度
symptom〔'sɪmptəm〕*n.* 症狀
disorder〔dɪs'ɔrdɚ〕*n.* 失調
unto〔'ʌntə〕*prep.* 對；於　illness〔'ɪlnɪs〕*n.* 疾病
heart disease 心臟病　disease〔dɪ'ziz〕*n.* 疾病
Alzheimer〔'ɑlts,haɪmɚ〕*n.* 老年癡呆症；阿茲海默症
hormonal〔hɔr'monl̩〕*adj.* 賀爾蒙的
impact〔'ɪmpækt〕*v.* 強烈地影響　pattern〔'pætɚn〕*n.* 模式
psychiatric〔,saɪkɪ'ætrɪk〕*adj.* 精神醫學的
survey〔sɚ've〕*n.* 調查　diagnose〔,daɪəg'nos〕*v.* 診斷
pill〔pɪl〕*n.* 藥丸　consult〔kən'sʌlt〕*v.* 諮詢；請教
medical〔'mɛdɪkl̩〕*adj.* 醫學的
professional〔prə'fɛʃənl̩〕*n.* 專家

77.（**C**）這報導的主要是關於什麼？

(A) 老年癡呆症。　(B) 賀爾蒙問題。
(C) 睡眠失調。　(D) 精神狀況。

78. (**A**) 失眠症是什麼？

(A) 無法入睡。 (B) 無法醒來。

(C) 心臟病的症狀。 (D) 一種自行治療的方式。

79. (**C**) 專家擔憂的是什麼事？

(A) 人們沒有得到充足的睡眠。

(B) 人們得到太多的睡眠。

(C) 許多人服藥以入睡。

(D) 很少人去注意他們的睡眠模式。

* drug〔 drʌg 〕*n.* 藥

***Questions 80 through 82** refer to the following advertisement.*

在你的一生之中，將有些時候你需要一位知識廣泛的、經驗豐富的律師。把經驗豐富的專家傑弗瑞・史丹法律事務所納入考慮吧。他的法律背景涵括廣泛的法庭工作和在布恩郡擔任地區助理律師。傑弗瑞・史丹律師看過各種事。而且他可以用他廣泛的法律經驗幫助你。從不動產到社會福利，從個人侵權法律到刑事辯護，任何事傑弗瑞・史丹都可以提供你高品質的法律代理。如果你需要一個有知識的律師來做不動產結算的例行公事，傑弗瑞・史丹可以以百分之六不含雜支的初步費用代理你…因爲傑弗瑞・史丹相信你會選擇他來支持你的所有法律事務。今天打電話給傑弗瑞・史丹來預約：863-7839。是 863-7839。打 863-78-69 給傑弗瑞・史丹，法律事務所。

* throughout〔 θru'aʊt 〕*prep.* 在…期間
well-rounded〔'wɛl'raʊndɪd 〕*adj.*（知識）廣泛的
experienced〔 ɪk'spɪrɪənst 〕*adj.* 有經驗的
attorney〔 ə'tɝnɪ 〕*n.* 律師 legal〔'ligḷ 〕*adj.* 法律的
extensive〔 ɪk'stɛnsɪv 〕*adj.* 廣泛的
courtroom〔'kort,rum 〕*n.* 法庭
assistant〔 ə'sɪstənt 〕*n.* 助理 district〔'dɪstrɪkt 〕*n.* 地區
county〔'kaʊntɪ 〕*n.* 郡 benefit〔'bɛnəfɪt 〕*n.* 好處

broad〔brɔd〕*adj.* 廣博的　***real estate*** 不動產
estate〔ə'stet〕*n.* 地產　security〔sɪ'kjurətɪ〕*n.* 安全保障
social security 社會福利　injury〔'ɪndʒərɪ〕*n.* 權利侵害
criminal〔'krɪmənḷ〕*adj.* 刑事　defense〔dɪ'fɛns〕*n.* 辯護
provide〔prə'vaɪd〕*v.* 提供
qualified〔'kwɑlə,faɪd〕*adj.* 合格的
representation〔,rɛprɪzɛn'teʃən〕*n.* 代理
knowledgeable〔'nɑlɪdʒəbḷ〕*adj.* 有知識的
routine〔ru'tin〕*n.* 例行公事　closing〔'klozɪŋ〕*n.* 結算
represent〔,rɛprɪ'zɛnt〕*v.* 代理
introductory〔,ɪntrə'dʌktərɪ〕*adj.* 初步的
consideration〔kən,sɪdə'reʃən〕*n.* 需要考慮的事
appointment〔ə'pɔɪntmənt〕*n.* 預約

80.（**B**）廣告了什麼？

(A) 法律。　(B) 法律服務。
(C) 保險。　(D) 不動產。

81.（**D**）傑弗瑞・史丹現在的工作是什麼？

(A) 他是一位地方助理律師。
(B) 他是一位布恩郡的地方助理律師。
(C) 他是一位不動產經紀人。
(D) 他是一位獨立律師。

* agent〔'edʒənt〕*n.* 經紀人
independent〔,ɪndɪ'pɛndənt〕*adj.* 獨立的
lawyer〔'lɔjɚ〕*n.* 律師

82.（**A**）廣告怎麼說傑弗瑞・史丹？

(A) 他有廣泛的法律經驗。
(B) 他每小時收$350。
(C) 不動產是他的專長。
(D) 他有三支不同的電話號碼。

* charge〔tʃɑrdʒ〕*v.* 索取　specialty〔'spɛʃəltɪ〕*n.* 專長

***Questions 83 through 85** refer to the following weather report.*

嗯，給那些今天出門的人，我不需要告訴你天氣晴朗，但酷熱遍及州內大部份的區域，最高溫度位於 100 到 105 之間。東拉斯維加斯今天最高溫 107 度，沒有打破任何記錄，但是老天，這還是很熱！我很慶幸我今天在室內工作！給那些明天計畫室外活動的人，你可以預期酷熱的間歇，星期六大部份的時間有著晴朗的天空和 95 度以上。然而，星期六傍晚事情可能會改變，有個暴風雨向前移動。我們可以預期稀疏的陣雨分布在拉斯維加斯都會區的北部，帶來較涼的溫度 80 幾度，但是星期天早上近中午時雨應該會逐漸減少。早上大部份將會是多雲，但是在下午時這些雲會移走。對那些想看一眼月偏蝕的人來說，星期天晚上天空應該會晴朗。

* blisteringly〔ˈblɪstərɪŋlɪ〕*adv.* 酷熱地
temperature〔ˈtɛmpərətʃɚ〕*n.* 溫度
mid〔mɪd〕*adj.* 中央的　degree〔dɪˈgri〕*n.* 度數
record〔ˈrɛkɚd〕*n.* 記錄　indoors〔ˈɪnˈdorz〕*adv.* 在室內
outdoors〔ˈaʊtˈdorz〕*adv.* 在室外
expect〔ɪkˈspɛkt〕*v.* 期待　break〔brek〕*n.* 間歇
fair〔fɛr〕*adj.* 晴朗的　storm〔stɔrm〕*n.* 暴風雨
front〔frʌnt〕*adv.* 向前地　scattered〔ˈskætɚd〕*adj.* 稀疏的
shower〔ˈʃaʊɚ〕*n.* 陣雨　metro〔ˈmɛtro〕*adj.* 都市的
slightly〔ˈslaɪtlɪ〕*adv.* 稍微　taper〔ˈtepɚ〕*v.* 逐漸減少 <*of*>
glimpse〔glɪmps〕*n.* 看一眼　partial〔ˈpɑrʃəl〕*adj.* 部分的
lunar〔ˈlunɚ〕*adj.* 月亮的　eclipse〔ɪˈklɪps〕*n.* 虧蝕

83. (**D**) 這則報導最有可能什麼時候播出？
(A) 星期四傍晚。
(B) 星期五早上。
(C) 星期五下午。
(D) <u>星期五傍晚。</u>

* broadcast〔ˈbrɔdˌkæst〕*v.* 播出

84. (**A**) 星期六傍晚的氣象預測是什麼？

(A) 稀疏的陣雨。　(B) 多雲且涼爽。
(C) 多風且潮濕。　(D) 溫暖且天空晴朗。

* forecast〔for'kæst〕*n.* 預測　windy〔'wɪndɪ〕*adj.* 多風的
humid〔'hjumɪd〕*adj.* 潮濕的　warm〔wɔrm〕*adj.* 溫暖的

85. (**D**) 誰最有可能對星期天傍晚的預測有興趣？

(A) 專業的運動員。　(B) 賞鳥人士。
(C) 商船水手。　(D) 業餘天文學家。

* athlete〔'æθlit〕*n.* 運動員
merchant〔'mɝtʃənt〕*adj.* 商船的
seamen〔'simən〕*n.* 水手
amateur〔'æmə,tʃur〕*adj.* 業餘的
astronomer〔ə'strɑnəmɚ〕*n.* 天文學家

***Questions 86 through 88** refer to the following introduction.*

在辦公室八年、商人、環境行動主義者、諾貝爾獎得主、葛萊美獎和艾美獎得主、時代雜誌 2007 年年度人物亞軍。對一個人所達成的來說，這是一份令人印象深刻的簡歷。但是我們今天的來賓不是一位平凡人。他是一位政治家和基因裡存在著政治的熱衷的環境保護者；他的爸爸也擔任了 18 年的田納西州參議員。他在哈佛大學念書，畢業於 1969 年。在決定不找辦法躲避徵兵及強迫較無特權的人上戰場後，他自願以陸軍記者的身分前往越南。戰後，他進入范德比爾特大學，但他在得到學位之前贏得了衆議員席位。這開始了他的政治生涯，這是我們都很熟悉的。沒有更多的延誤，他來了。女士們和先生們，我爲您帶來艾爾・高爾先生。

* environmental〔ɪn,vaɪrən'mɛntl̩〕*adj.* 環境的
activist〔'æktɪvɪst〕*n.* 行動主義者
Nobel Prize 諾貝爾獎【根據諾貝爾的遺囑，每年頒發獎金給對世界和平、文學、化學、物理學、醫學有卓越貢獻的人】
recipient〔rɪ'sɪpɪənt〕*n.* 領受者

Grammy〔ˈgræmɪ〕*n.* 葛萊美獎【由美國唱片藝術科學學院每年頒發的最佳唱片、最佳歌星和歌曲等獎】
Emmy〔ˈɛmɪ〕*n.* 艾美獎【美國每年頒發給電視各部門有優秀表現者的最高榮譽獎】　runner-up〔ˈrʌnəˌʌp〕*n.* 亞軍
impressive〔ɪmˈprɛsɪv〕*adj.* 令人印象深刻的
resume〔ˌrɛzuˈme〕*n.* 簡歷　achieve〔əˈtʃiv〕*v.* 達成
ordinary〔ˈɔrdn̩ˌɛrɪ〕*adj.* 普通的
politician〔ˌpɑləˈtɪʃən〕*n.* 政治家　keen〔kin〕*adj.* 熱衷的
environmentalist〔ɪnˌvaɪrənˈmɛntl̩ɪst〕*n.* 環境保護專家
politics〔ˈpɑləˌtɪks〕*n.* 政治　gene〔dʒin〕*n.* 基因
Tennessee〔ˌtɛnəˈsi〕*n.* 田納西州　senator〔ˈsɛnətə〕*n.* 參議員
Harvard〔ˈhɑrvəd〕*n.* 哈佛大學【位於美國麻州】
graduate〔ˈgrædʒuˌet〕*v.* 畢業
volunteer〔ˌvɑlənˈtɪr〕*v.* 自願
reporter〔rɪˈportə〕*n.* 記者　Army〔ˈɑrmɪ〕*n.* 陸軍
decide〔dɪˈsaɪd〕*v.* 決定　dodge〔dɑdʒ〕*v.* 躲避
draft〔dræft〕*n.* 徵兵　force〔fors〕*v.* 強迫
privilege〔ˈprɪvlɪdʒ〕*n.* 特權
attend〔əˈtɛnd〕*v.* 上（學、教堂）
Vanderbilt University 范德比爾特大學【位於美國田納西州】
Congressional〔kənˈgrɛʃənl̩〕*adj.* 衆議院的
degree〔dɪˈgri〕*n.* 學位　further〔ˈfɝðə〕*adj.* 更多地
delay〔dɪˈle〕*n.* 延誤

86.（**C**）這則介紹的主要目的是什麼？

(A) 爲艾爾・高爾的誠信做辯護。
(B) 解釋爲什麼艾爾・高爾要參選總統。
(C) 告知聽衆艾爾・高爾的事。
(D) 批評艾爾・高爾在越南的服務。

* introduction〔ˌɪntrəˈdʌkʃən〕*n.* 介紹
defend〔dɪˈfɛnd〕*v.* 爲…辯護
audience〔ˈɔdɪəns〕*n.* 聽衆
criticize〔ˈkrɪtəˌsaɪz〕*v.* 批評

87. (**C**) 這則介紹最有可能在哪裡發生？

(A) 在一場運動會上。

(B) 在一場演講比賽上。

(C) <u>在一個公衆討論會上。</u>

(D) 在一個授獎典禮上。

* speech〔 spitʃ 〕*n.* 演講　　contest〔ˈkɑntɛst 〕*n.* 比賽
public〔ˈpʌblɪk 〕*adj.* 公衆的
forum〔ˈforəm 〕*n.* 公開的討論會
award〔 əˈwɔrd 〕*n.* 授獎
ceremony〔ˈsɛrəˌmonɪ 〕*n.* 典禮

88. (**A**) 接下來會發生什麼事？

(A) <u>聽衆們會鼓掌。</u>　　(B) 節目會開始。

(C) 得獎者會被宣布。　　(D) 戰爭會結束。

* applaud〔 əˈplɔd 〕*v.* 鼓掌　　announce〔 əˈnaʊns 〕*v.* 宣布

<u>Questions 89 through 91</u> *<u>refer to the following interview.</u>*

嗯，這是一件衆人皆注意到卻不願提起的事不是嗎，詹姆斯？這是一個完全依賴外勞，然而同時卻公開地對外國人出現在公共場合有敵意的社會。可以讓這些移民者來這裡照顧我們的孩子、清理我們的廁所，並在我們的工廠裡工作，但是我們不願意他們在唯一的休假時在公共公園裡享受。僞善尙存，而如果你和其它一般公民提起這件事，他們都會說同樣的事：這跟種族優越感或歧視一點關係都沒有。他們只是在擔心衝突可能會發生，因爲這些有著不同膚色和不同文化的外勞出現在社區裡。這些思維讓我的熱血沸騰，詹姆斯。尤其至少，我們欠這些外勞們一定程度的尊重，你不這樣想嗎？

* ***the big elephant in the room*** 一件衆人皆注意到卻不願提起的事情
society〔 səˈsaɪətɪ 〕*n.* 社會
completely〔 kəmˈplitlɪ 〕*adv.* 完全地
dependant〔 dɪˈpɛndənt 〕*adj.* 依賴的
foreign〔ˈfɔrɪn 〕*adj.* 外國的　　labor〔ˈlebɚ 〕*n.* 勞工

hostile〔'hɑstḷ〕n. 敵意的　presence〔'prɛzṇs〕n. 出現
foreigner〔'fɔrɪnɚ〕n. 外國人
immigrant〔'ɪməgrənt〕n. 移民　***day off*** 休假
hypocrisy〔hɪ'pɑkrəsɪ〕n. 僞善
remain〔rɪ'men〕v. 剩下　raise〔rez〕v. 提起
issue〔'ɪʃu〕n. 議題　average〔'ævərɪdʒ〕adj. 一般的
citizen〔'sɪtəzṇ〕n. 公民
racism〔'resɪzəm〕n. 種族優越主義
discrimination〔dɪ,skrɪmə'neʃən〕n. 歧視
clash〔klæʃ〕n. 衝突　community〔kə'mjunətɪ〕n. 社區
boil〔bɔɪl〕v. 沸騰　owe〔o〕v. 欠
respect〔rɪ'spɛkt〕n. 尊敬

89. (**A**) 哪個描述最符合這段文章？

(A) 社會評論。　(B) 諷刺政治。
(C) 羅曼蒂克的喜劇。　(D) 激昂的辯論。

* description〔dɪ'skrɪpʃən〕n. 描述
match〔mætʃ〕v. 符合
commentary〔'kɑmən,tɛrɪ〕n. 評論
satire〔'sætaɪr〕n. 諷刺
romantic〔ro'mæntɪk〕adj. 羅曼蒂克的
comedy〔'kɑmədɪ〕n. 喜劇
heated〔'hitɪd〕adj. 激昂的
debate〔dɪ'bet〕n. 辯論

90. (**B**) 說話者對外勞的態度是什麼？

(A) 有敵意的。　(B) 同情的。
(C) 漠不關心的。　(D) 表示輕視的。

* attitude〔'ætə,tjud〕n. 態度
sympathetic〔,sɪmpə'θɛtɪk〕adj. 同情的
indifferent〔ɪn'dɪfrənt〕adj. 漠不關心的
dismissive〔dɪs'mɪsɪv〕adj. 表示輕視的

91. (**A**) 接下來會發生什麼事？

(A) 詹姆斯將繼續對話。
(B) 說話者會結束訪問。
(C) 聽衆會鼓掌。
(D) 一般的聽衆會很憤怒。

* outraged〔'aʊt,redʒ〕*adj.* 憤怒的

***Questions 92 through 94** are based on the following presentation.*

維多，謝謝你年度的年底總結。現在我想將我們的焦點轉至明年。從一月開始，我們會逐漸強調維持客戶存款。我們將提高證券戶頭的存款利率，從百分之二提升到百分之二點五，再提供客戶誘因，包括開新的直接存款活存戶頭便有免費 iPhone。這是對網路銀行及存款互助會的積極推動做回應，他們透過高利率來引誘客戶。增加的競爭擠壓了我們的利潤並減少了我們的利益。我們不能借出我們沒有的錢，對吧？同時，我們會把名稱從「貸款服務人員」改爲「關係服務人員」。現在他們大部份的工作爲招募和維繫新存戶。

* annual〔'ænjʊəl〕*adj.* 年度的　　summary〔'sʌmərɪ〕*n.* 總結
ahead〔ə'hɛd〕*adv.* 往後　　increase〔ɪn'kris〕*v.* 增加
emphasis〔'ɛmfəsɪs〕*v.* 強調　　retain〔rɪ'ten〕*v.* 維持
customer〔'kʌstəmɚ〕*n.* 顧客　　deposit〔dɪ'pazɪt〕*n.* 存款
rate〔ret〕*n.* 利率　　certificate〔sɚ'tɪfəkɪt〕*n.* 證券
incentive〔ɪn'sɛntɪv〕*n.* 誘因　　account〔ə'kaʊnt〕*n.* 帳戶
checking account 活期存款戶頭
response〔rɪ'spans〕*n.* 回應　　***in response to*** 對…的反應
aggressive〔ə'grɛsɪv〕*adj.* 積極的
depository〔dɪ'pazə,torɪ〕*n.* 貯藏所
credit〔'krɛdɪt〕*n.* 信用　　union〔'junjən〕*n.* 聯盟
credit union 存款互助會　　entice〔ɪn'taɪs〕*v.* 引誘
competition〔,kampə'tɪʃən〕*n.* 競爭
squeeze〔skwiz〕*v.* 擠壓　　margin〔'mardʒɪn〕*n.* 利潤
decrease〔dɪ'kris〕*v.* 減少

profitability〔ˌprɑfɪtəˈbɪlətɪ〕*n.* 利益
switch〔swɪtʃ〕*v.* 轉變　　loan〔lon〕*n.* 貸款
recruit〔rɪˈkrut〕*v.* 招募

92. (**B**) 誰最有可能是預期的聽衆？

(A) 新客戶。　　(B) 銀行員工。
(C) 網路銀行。　　(D) 公司的律師。

* intended〔ɪnˈtɛndɪd〕*adj.* 預期的
audience〔ˈɔdɪəns〕*n.* 聽衆
corporate〔ˈkɔrpərɪt〕*adj.* 公司的

93. (**A**) 這段敘述的主要目的是什麼？

(A) 發布未來變動。　　(B) 解釋減少的利潤。
(C) 挑戰員工。　　(D) 總結年度活動。

* shrink〔ʃrɪŋk〕*v.* 減少　　profit〔ˈprɑfɪt〕*n.* 利潤
summarize〔ˈsʌməˌraɪz〕*v.* 總結

94. (**A**) 公司明年著重的是什麼？

(A) 吸引和維繫客戶。　　(B) 修正他們的形象。
(C) 借出他們所沒有的錢。　　(D) 擠出競爭。

* attract〔əˈtrækt〕*v.* 吸引　　repair〔rɪˈpɛr〕*v.* 修正

***Questions 95 through 97** refer to the following message.*

嗨，這封訊息是給琳蒂・福斯。我的名字是波利斯・葛伯斯，我打電話是關於你在克雷格分類廣告上刊登的室友廣告。我非常有興趣，而我想儘快和你見面並看看公寓。我剛到城裡，因爲下週開始在微滑工作而搬到這裡。我 28 歲，不抽煙，乾淨，可靠，而且我有前房東的推薦。如果你想在和我聊聊之前先打電話給他，他的名字是王湯米，電話是 876-0101。再說一次，我的名字是波利斯，你可以打到我的手機 623-3434，或者是打到我的飯店 805-2000，房間 1707。謝謝，琳蒂。我希望可以趕快聽到你的回應。

* reliable〔rɪ'laɪəbḷ〕*adj.* 可靠的
reference〔'rɛfərəns〕*n.* 推薦
previous〔'privɪəs〕*adj.* 在前的
landlord〔'lænd,lɔrd〕*n.* 房東

95. (**A**) 這段訊息是給誰？

(A) 琳蒂・福斯。　(B) 微滑。
(C) 王湯米。　(D) 波利斯・葛伯斯。

96. (**C**) 說話者在找什麼？

(A) 一份新工作。　(B) 一位新女友。
(C) 一處住所。　(D) 一個對抽煙友善的環境。

* environment〔ɪn'vaɪrənmənt〕*n.* 環境

97. (**D**) 說話者要聽者做什麼？

(A) 找位室友。　(B) 打電話給王湯米。
(C) 到旅館拜訪他。　(D) 回電給他。

Questions 98 through 100 *refer to the following public service announcement.*

平均上，家庭火災每天奪去七條人命。現在在國家火災預防月，你可以透過將你家的用火安全置於優先地位，來幫忙避免不必要的火災死亡和受傷。如果你抽煙，抽完後要把香煙完全地熄滅。爲什麼？因爲不小心的抽煙是造成可預防的家庭火災死亡的第一位。點燃的香煙轉變成狂暴的大火不需要太久的時間。無論你是抽香煙、雪茄或煙斗，切記：不要將他們點燃後置之不理，不要在床上抽煙，並永遠用深的煙灰缸。這則訊息是由聯邦消防署、您的地方消防部門和本電台提供給您。

* ***on average*** 平均上　claim〔klem〕*v.* 奪去（性命）
prevent〔prɪ'vɛnt〕*v.* 防止
needless〔'nidlɪs〕*adj.* 不必要的　death〔dɛθ〕*n.* 死亡

injury〔ˈɪndʒərɪ〕*n.* 受傷　　priority〔praɪˈɔrətɪ〕*n.* 優先權
prevention〔prɪˈvɛnʃən〕*n.* 預防
cigarette〔ˌsɪgəˈrɛt〕*n.* 香煙
careless〔ˈkɛrlɪs〕*adj.* 不小心的
preventable〔prɪˈvɛntəbl̩〕*n.* 可預防的
raging〔ˈredʒɪŋ〕*adj.* 狂暴的
cigar〔sɪˈgɑr〕*n.* 雪茄煙　　pipe〔paɪp〕*n.* 煙斗
unattended〔ˌʌnəˈtɛndɪd〕*adj.* 被置之不理的
ashtray〔ˈæʃˌtre〕*n.* 煙灰缸
administration〔ədˌmɪnəˈstreʃən〕*n.* 局；行政部門
the United States Fire Administration 聯邦消防署
department〔dɪˈpɑrtmənt〕*n.* 部門

98. (**B**) 這則訊息的主題是什麼？

(A) 家庭。　　(B) 用火安全。
(C) 死亡。　　(D) 抽煙。

99. (**C**) 說話者說了什麼關於不小心的抽煙？

(A) 這對你不好——停止。
(B) 它每天奪去七條人命。
(C) 這是造成可預防的家庭火災死亡的第一位。
(D) 不管怎樣它都會害死你，所以你儘管抽煙。

* ***one way or the other*** 不管怎樣；反正

100. (**D**) 說話者鼓勵聽者做什麼？

(A) 戒煙。　　(B) 在床上抽煙。
(C) 使用煙斗。　　(D) 抽煙時小心。

* urge〔ɝdʒ〕*v.* 鼓勵；力勸
caution〔ˈkɔʃən〕*n.* 小心

PART 5 詳解

101. (**C**) 在縣政府提出兩倍的市價後，農夫最後同意賣掉他的土地。

(A) sometimes (ˈsʌm,taɪmz) *adv.* 有時候
(B) very (ˈvɛrɪ) *adv.* 非常
(C) ***eventually*** (ɪˈvɛntʃuəlɪ) *adv.* 最後
(D) unless (ənˈlɛs) *conj.* 除非

* agree (əˈgri) *v.* 同意
property (ˈprɑpətɪ) *n.* 財產；地產
county (ˈkaʊntɪ) *n.* 縣　***market value*** 市場價值；市價

102. (**B**) 你的表弟們邀請你下個週末在他們家過夜。他們很興奮要給你看剛買的一個新的電玩遊戲。

依文法，先行詞爲 new video game，關係代名詞要配合 which 或是 that，故選 (B)。

* ***stay over*** 過夜（= *stay overnight*）
video game 電玩遊戲　excited (ɪkˈsaɪtɪd) *adj.* 興奮的

103. (**A**) 我代數非常擅長，但是這些問題對我來說太複雜了。

(A) ***complicated*** (ˈkɑmplə,ketɪd) *adj.* 複雜的
(B) luxurious (lʌgˈʒurɪəs) *adj.* 奢侈的；豪華的
(C) fragile (ˈfrædʒəl) *adj.* 脆弱的
(D) timid (ˈtɪmɪd) *adj.* 膽小的

* reasonably (ˈrisnəblɪ) *adv.* 合理地；相當地
competent (ˈkɑmpətənt) *adv.* 有能力的；擅長的
algebra (ˈældʒəbrə) *n.* 代數（學）
much too 非常；太

104. (**C**) 很多投資者推測，傑佛森—彼得斯股份有限公司，這個月會恢復一百億元的股份認購計畫。

(A) invest〔ɪnˈvɛst〕*v.* 投資

(B) investment〔ɪnˈvɛstmənt〕*n.* 投資

(C) ***investor***〔ɪnˈvɛstɚ〕*n.* 投資者

(D) investive〔ɪnˈvɛstɪv〕*adj.* 投資的

* speculate〔ˈspɛkjəˌlet〕*v.* 推測
Inc.〔ɪŋk〕*adj.*（用於公司名稱後）股份有限的
（= *incorporated*）
resume〔rɪˈzum〕*v.* 再開始；恢復
billion〔ˈbɪljən〕*n.* 十億　stock〔stɑk〕*n.* 股份；股票
purchase〔ˈpɝtʃəs〕*n.* 購買

105.（**B**）晚安，我是泰勒．霍金斯，這裡特別報導關於在太陽能產業令人興奮的新發展。

依文法，***on*** 表示「關於（= *about*）」，故選 (B)。

* special〔ˈspɛʃəl〕*adj.* 特別的　report〔rɪˈport〕*n.* 報導
development〔dɪˈvɛləpmənt〕*n.* 發展；進展
solar〔ˈsolɚ〕*adj.* 太陽的　***solar power*** 太陽能
industry〔ˈɪndəstrɪ〕*n.* 產業

106.（**D**）在進入這些設施之前，你必須出示你的員工識別證和安全證，所以，先將它們準備好。

依句意，***both*** 表示「兩者皆…」，故選 (D)。

* ***prior to***… 在…之前　enter〔ˈɛntɚ〕*v.* 進入
facility〔fəˈsɪlətɪ〕*n.* 設施
employee〔ɪmˈplɔɪ-i〕*n.* 員工
ID 身份證（= *identification*）
security〔sɪˈkjurətɪ〕*n.* 安全　badge〔bædʒ〕*n.* 徽章

107.（**D**）本次活動對大眾開放，同時，門票收益會用來資助一項兒童藝術教育基金。

be open to「對…開放」，故選 (D)。

* event〔 ɪ'vɛnt 〕*n.* 大型活動
public〔'pʌblɪk 〕*adj.* 公衆的
the public 大衆　proceeds〔'prosidz 〕*n. pl.* 收益
benefit〔'bɛnəfɪt 〕*v.* 使受益
education〔,ɛdʒə'keʃən 〕*n.* 教育　fund〔 fʌnd 〕*n.* 基金

108. (**D**) 國聯邦儲備局表示，他們因爲「上升的」失業率以及低迷的房市而採取較爲謹慎的態度。

依句意，空格中應塡入「失業率」，故選 (D)。

* ***The Federal Reserve*** 美國聯邦儲備局【美國中央銀行】
cautious〔'kɔʃəs 〕*adj.* 謹愼的
approach〔 ə'protʃ 〕*n.* 態度
elevated〔'ɛlə,vetɪd 〕*adj.* 升高的
downturn〔'daʊntɝn 〕*n.* 低迷時期
housing〔'haʊzɪŋ 〕*n.* 住宅
employment rate 就業率　***unemployment rate*** 失業率
undergraduate〔,ʌndɚ'grædʒuɪt 〕*n.* 大學生
unproductive〔,ʌnprə'dʌktɪv 〕*adj.* 無生產力的

109. (**D**) 這道番紅花佐鮭魚被鋪放在檸檬奶油燉飯上，灑上一份剛醃製好的甜菜，並點綴上薑片。

依句意，「剛醃製好的」甜菜，應爲被動語態，用過去分詞作形容詞修飾，故應選 (D) ***pickled***。

* saffron〔'sæfrən 〕*n.* 番紅花　herb〔 hɝb 〕*n.* 藥草
salmon〔'sæmən 〕*n.* 鮭魚
be served over 鋪放；澆淋在（食物）上
risotto〔 rɪ'sɔto 〕*n.* 燉飯　***be topped with*** 灑上
a helping of 一份　freshly〔'frɛʃlɪ 〕*adv.* 剛；才
pickled〔'pɪkḷd 〕*adj.* 醃製的　beet〔 bit 〕*n.* 甜菜
garnish〔'gɑrnɪʃ 〕*v.* 裝飾；點綴（食物）
ginger〔'dʒɪndʒɚ 〕*n.* 薑

110. (**A**) 董事會決定，在做出任何加強公司勞動力的行動之前，要等待更多證據說明，進展會將會被維持下去。

(A) ***sustain*** (sə'sten) *v.* 維持；持續 (= *continue*)

(B) retain (rɪ'ten) *v.* 保留

(C) obtain (əb'ten) *v.* 獲得

(D) maintain (men'ten) *v.* 保持 (良好狀態) (= ***keep in*** *good condition*)

* ***The Board of Directors*** 董事會

decide (dɪ'saɪd) *v.* 決定　await (ə'wet) *v.* 等待

evidence ('ɛvədəns) *n.* 證據　progress ('prɑgrɛs) *n.* 進展

bolster ('bolstɚ) *v.* 加強　company ('kʌmpənɪ) *n.* 公司

labor ('lebɚ) *n.* 勞工　force (fors) *n.* 力量

111. (**D**) 蕾蒂莎坐在桌首，她的老公坐在她的左邊，她的表弟佛洛依德坐在她的右邊。

依文法，***be seated*** 坐著 (= *sit*)，加上句子爲第三人稱作主詞的過去式，故應選 (D) ***was seated***。

112. (**B**) 任何問題、疑慮或是有關我們產品的評論，都可以寄到我們的客服部門。

(A) according to 根據

(B) ***related to*** 有關

(C) strange to relate 說也奇怪

(D) through 透過

* concern (kən'sɝn) *n.* 疑慮　comment ('kɑmɛnt) *n.* 評論

product ('prɑdəkt) *n.* 產品　address (ə'drɛs) *v.* 寄

customer ('kʌstəmɚ) *n.* 顧客　service ('sɝvɪs) *n.* 服務

department (dɪ'pɑrtmənt) *n.* 部門

113. (**D**) 一份兩百頁的化學碩士論文，舉例來說，包含了大量數據，只會在硬碟中佔用超過 1GB 一點點的容量。

(A) take A for B 視 A 爲 B
(B) take to 喜歡上；對…有好感
(C) take *sb*. by + 部位 抓住某人的某部位
(D) ***take up*** 佔用

* master〔ˈmæstɚ〕*n.* 碩士　thesis〔ˈθisɪs〕*n.* 論文
chemistry〔ˈkɛmɪstrɪ〕*n.* 化學
contain〔kənˈten〕*v.* 包含
large〔lɑrdʒ〕*adj.* 大量的　amount〔əˈmaʊnt〕*n.* 數量
data〔ˈdetə〕*n. pl.* 資料
gigabyte〔ˈgɪgəˌbaɪt〕*n.* 億萬位元組（儲存容量單位）
hard drive 硬碟

114. (**C**) 教育委員會在一開始尋求一筆 1.2 億的額外經費，爲了更新和升級市立圖書館系統。

依文法，本句時態爲過去完成式 ***had + p.p.***，***seek*** 的動詞變化爲 ***seek-sought-sought***，故應選 (C) ***sought***。

* ***The Board of Education*** 教育委員會
initially〔ɪˈnɪʃəlɪ〕*adv.* 最初；起先
extra〔ˈɛkstrə〕*adj.* 額外的
renovation〔ˌrɛnəˈveʃən〕*n.* 革新
upgrade〔ˈʌpˌgred〕*n.* 升級　system〔ˈsɪstəm〕*n.* 系統

115. (**A**) 你會在附近的市場找到本地產的馬鈴薯和紅蘿蔔，但是如果你想要國外的香料，你就得去城裡的超市。

(A) ***exotic***〔ɪgˈzɑtɪk〕*adj.* 異國的
(B) literary〔ˈlɪtəˌrɛrɪ〕*adj.* 文學的
(C) ambitious〔æmˈbɪʃəs〕*adj.* 有野心的
(D) superficial〔ˌsupɚˈfɪʃəl〕*adj.* 表面的；膚淺的

* local〔ˈlokḷ〕*adj.* 本地的　nearby〔ˈnɪrˌbaɪ〕*adj.* 附近的
spice〔spaɪs〕*n.* 香料
grocery store 超市（= *supermarket*）

116. (**B**) 「這件事的結果會如何是很難說的，」他說。「但今天我們應該要充滿感激並且慶祝我們的成功。」

本題考「***It is impossible to say…***」的句型，表示「沒人知道；說不準」，故應選 (B)。

* ***end up*** 結束 grateful〔ˈgretfəl〕*adj.* 感激的
celebrate〔ˈsɛləˌbret〕*v.* 慶祝

117. (**D**) 隨著世界人口老化，傳統以來由家人、朋友以及社區組成的非正式照護系統將會需要更多支持。

(A) Even if 假使
(B) Even though 即使
(C) Although 雖然
(D) ***As*** 隨著

* population〔ˌpɑpjəˈleʃən〕*n.* 人口
age〔edʒ〕*v.* 老化
traditional〔trəˈdɪʃənḷ〕*adj.* 傳統的
informal〔ɪnˈfɔrmḷ〕*adj.* 非正式的
community〔kəˈmjunətɪ〕*n.* 社區
support〔səˈport〕*n.* 支持

118. (**A**) 由商業部門發表的數據顯示出製造、零售銷量，以及信貸和資產負債率全都在該年的第一季劇烈下滑。

依句意，「由商業部門發表」介係詞應為 ***by***，故選 (A)。

* commerce〔ˈkɑmɚs〕*n.* 商業
manufacturing〔ˌmænjəˈfæktʃərɪŋ〕*n.* 製造業
retail〔ˈritel〕*adj.* 零售的 sales〔selz〕*n. pl.* 銷售量
credit-to-balance ratio 信貸和資產負債率
sharply〔ˈʃɑrplɪ〕*adv.* 急遽的
quarter〔ˈkwɔrtɚ〕*n.* 一季
release〔rɪˈlis〕*v.* 釋放；發表

119. (A) 在巴拿馬被養大，41 歲的<u>建築師</u>漢娜・霍伯最初先搬到紐約，在帕森藝術學院裡讀時尚行銷。

(A) ***architect*** 〔'ɑrkə,tɛkt〕*n.* 建築師

(B) architecture 〔'ɑrkə,tɛktʃɚ〕*n.* 建築學

(C) art 〔ɑrt〕*n.* 藝術

(D) arcade 〔ɑr'ked〕*n.* 拱廊

* raise 〔rez〕*v.* 養育

Panama 〔'pænə,mɑ〕*n.* 巴拿馬

New York 〔nu'jɔrk〕*n.* 紐約　fashion 〔'fæʃən〕*n.* 時尚

merchandise 〔'mɝtʃən,daɪzɪŋ〕*n.* 行銷

Parsons School of Art and Design 帕森藝術學院【世界排名第二的私立藝術學院】

120. (B) 馬汀先生的遺囑執行人負責<u>分配</u>財產給他的繼承人。

(A) extension 〔ɪk'stɛnʃən〕*n.* 擴大；伸展

(B) ***division*** 〔də'vɪʒən〕*n.* 分配

(C) fusion 〔'fjuʒən〕*n.* 融合

(D) musing 〔'mjuzɪŋ〕*n.* 沈思；冥想

* executor 〔ɪg'zɛkjətɚ〕*n.* 執行者　will 〔wəl〕*n.* 遺囑

be responsible for 負責　asset 〔'æsɛt〕*n.* 財產

heir 〔ɛr〕*n.* 繼承人

121. (B) 你瞭解外表看起來很好不一定<u>等同於</u>很健康，不是嗎？

依句意，「等同於」應為 ***the same as***，故選 (B)。

* realize 〔'riə,laɪz〕*v.* 瞭解　outside 〔'aut'saɪd〕*n.* 外部

necessarily 〔'nɛsə,sɛrəlɪ〕*adv.* 必然地

not necessarily 不一定

122. (C) 根據政府的統計，觀光業在 2000 年佔了國家整體 GDP 的 25%，當年外國旅客約有三十萬名上下。到了 2010 年，旅客<u>抵達</u>的數字已經上升至五十九萬五千人。

(A) arrive〔 ə'raɪv 〕v. 到達
(C) ***arrival***〔 ə'raɪvḷ 〕n. 抵達；抵達的人

* ***according to*** 根據　government〔'gʌvənmənt〕n. 政府
statistics〔 stə'tɪstɪks 〕n. pl. 統計數字
tourism〔'turɪzəm 〕n. 旅遊業
account for（在數量上）佔
GDP 國內生產總額（= *gross domestic product*）
foreign〔'fɔrɪn 〕adj. 國外的　visitor〔'vɪzɪtə 〕n. 觀光客
hover〔'hʌvə 〕v. 盤旋；（水平、價格等）搖擺不定
rise〔 raɪz 〕v. 上升【三態變化 rise-rose-risen】

123.（**C**）在這個實驗的過程中，我們可以藉由改變其中一項數值，很快地確立溫度和體積之間的關係。

(A) revoke〔 rɪ'vok 〕v. 取消；撤銷
(B) dispose〔 dɪ'spoz 〕v. 整理
(C) ***establish***〔 ə'stæblɪʃ 〕v. 確立
(D) found〔 faʊnd 〕v. 創立；設立

* throughout〔 θru'aʊt 〕adv. 遍及；在…的期間
course〔 kors 〕n. 過程
experiment〔 ɪks'pɛrəmənt 〕n. 實驗
quickly〔'kwɪklɪ 〕adv. 快速地
relationship〔 rɪ'leʃən,ʃɪp 〕n. 關係
temperature〔'tɛmpərətʃə 〕n. 溫度
volume〔'vɑljəm 〕n. 體積　value〔'vælju 〕n. 數值
one or the other（兩個之中）其中一個

124.（**C**）蛋白質對於營養是不可或缺的，但是在你的身體被迫去除剩餘的蛋白質之前，就只能吸收這麼多。

(A) contaminate〔 kən'tæmə,net 〕v. 污染
(B) nessesitate〔 nə'sɛsə,tet 〕v. 使必要；使需要
(C) ***eliminate***〔 ɪ'lɪmə,net 〕v. 除去
(D) negotiate〔 nɪ'goʃɪ,et 〕v. 談判

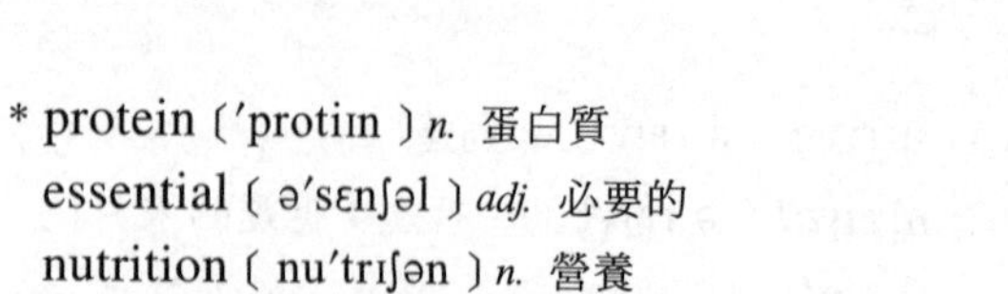

* protein〔ˈprotiɪn〕*n.* 蛋白質
essential〔əˈsɛnʃəl〕*adj.* 必要的
nutrition〔nuˈtrɪʃən〕*n.* 營養
absorb〔əbˈsɔrb〕*v.* 吸收
be forced to 被迫　　rest〔rɛst〕*n.* 剩餘的部分

125. (**D**) 隨著我的腳趾放入海洋中，被許多海洋生物圍繞著，我開始好奇我們的社會在環境保護上是否做的夠多。

(A) slice〔slaɪs〕*v.* 把…切成薄片
(B) march〔mɑrtʃ〕*v.* 行進
(C) jog〔dʒɑg〕*v.* 慢跑
(D) ***submerge***〔səbˈmɝdʒ〕*v.* 放…入水中

* ocean〔ˈoʃən〕*n.* 海洋
surround〔səˈraʊnd〕*v.* 圍繞
marine〔məˈrin〕*adj.* 海洋的
life〔laɪf〕*n.* 生命；生物
wonder〔ˈwʌndɚ〕*v.* 想知道
society〔səˈsaɪətɪ〕*n.* 社會
protect〔prəˈtɛkt〕*v.* 保護
environment〔ɪnˈvaɪrənmənt〕*n.* 環境

126. (**B**) 我們相信，我們公司的投資成功並不完全依賴美國整體的經濟實力。

(A) reckon with 預期；處理
(B) ***depend upon*** 依賴；依靠（= *count on*）
(C) find within 在…中尋找
(D) stop at 停留於

* success〔səkˈsɛs〕*n.* 成功
company〔ˈkʌmpənɪ〕*n.* 公司
investment〔ɪnˈvɛstmənt〕*n.* 投資
necessarily〔ˈnɛsəˌsɛrəlɪ〕*adv.* 必定；必然
overall〔ˈovɚˌɔl〕*adj.* 全部的

strength〔 strɛŋkθ 〕*n.* 力量
American〔 ə'mɛrɪkən 〕*adj.* 美國的
economy〔 ɪ'kɑnəmɪ 〕*n.* 經濟

127. (**B**) 一名典型的電子書閱讀器能夠一次儲存好幾打，甚至好幾百本書籍。

(A) able〔'ebl̩〕*adj.* 能夠…的 ***be able to V.*** 能夠～
(B) capable〔'kepəbl̩〕*adj.* 有能力的
be capable of V-ing 能夠～
(C) suited〔'sutɪd〕*adj.* 適合…的
(D) adequate〔'ædəkwɪt〕*adj.* 足夠的

* typical〔'tɪpɪkl̩〕*adj.* 典型的
e-book *n.* 電子書 (= *electronic book*)
reader〔'ridɚ〕*n.* 閱讀機 store〔 stor 〕*v.* 儲存
dozen〔'dʌzn̩〕*n.* 一打 ***at a time*** 一次

128. (**C**) 這本操作手冊集結了令人困惑的圖表、差勁的語法以及無法辨讀的符號。

(A) light〔 laɪt 〕*n.* 光
(B) tool〔 tul 〕*n.* 工具
(C) ***symbol***〔'sɪmbl̩〕*n.* 象徵；符號
(D) ticket〔'tɪkɪt〕*n.* 票

* instruction〔 ɪn'strʌkʃən 〕*n.* 操作；指示
manual〔'mænjuəl〕*n.* 手册
mixture〔'mɪkstʃɚ〕*n.* 合成品
confusing〔 kən'fjuzɪŋ 〕*adj.* 令人困惑的
diagram〔'daɪə,græm〕*n.* 圖表
poor〔 pur 〕*adj.* 差勁的
grammar〔'græmɚ〕*n.* 文法
indecipherable〔,ɪndɪ'saɪfrəbl̩〕*adj.* 不能辨讀的

129. (**B**) 如果有能夠解決這些問題的方案，我們公司的法律顧問一定能夠找出來的。

依文法，應為 ***a solution to the problems***，故選 (B)。

* solution〔səˈluʃən〕*n.* 方案
company lawyer （美國）公司法律顧問
be able to V. 能夠～

130. (**A**) 我很喜愛閱讀你關於二次大戰期間，住在加州的日裔美籍公民生活的文章。

依文法，***enjoy + V-ing*** 表示「喜愛～；享受～」，故選 (A)。

* essay〔ˈɛse〕*n.* 文章
Japanese-American *adj.* 日裔美籍的
California〔ˌkæləˈfɔrnjə〕*n.*（美國）加州
citizen〔ˈsɪtəzn̩〕*n.* 公民
World-War II 第二次世界大戰

131. (**D**) 死掉的魚漂浮在水庫的表面，並且在其中一側我們能夠聽見氣體外洩的嘶嘶聲。

依文法，空格內應為形容詞，故選 (D) ***Dead***。

* float〔flot〕*v.* 漂浮　surface〔ˈsɝfɪs〕*n.* 表面
reservoir〔ˈrɛzɚˌvɔr〕*n.* 水庫　***hissing sound*** 嘶嘶聲
escape〔əˈskep〕*v.* 逃脫；外洩　gas〔gæs〕*n.* 氣體

132. (**C**) 惡劣的天氣讓渡輪無法在昨天準時啓航。

依文法，***prevent…from + V-ing*** 表示「使…無法～」，故選 (C)。

* severe〔səˈvɪr〕*adj.* 惡劣的
ferry boat 渡輪　***on time*** 準時

133. (**A**) 有大約五十萬名民衆在這五天內出席參觀這場展覽，包含星期天的十二萬兩千五百人。

(A) ***show up*** 出席
(B) put down 放下
(C) come from 來自
(D) disguise by 藉由…進行僞裝

* some〔 sʌm 〕*adj.* 大約
exhibition〔ˌɛksəˈbɪʃən〕*n.* 展覽會
within〔 wɪðˈɪn 〕*prep.* 在…之內
include〔 ɪnˈklud 〕*v.* 包含

134. (**C**) 企畫經理和承包商都還沒公布預定完成的日期。

依句意，***neither A nor B*** 表示「A 和 B 都沒有」，故選 (C)。

* project〔ˈprɑdʒɛkt〕*n.* 企畫
manager〔ˈmænɪdʒɚ〕*n.* 經理
contractor〔ˈkɑntræktɚ〕*n.* 承包商
release〔 rɪˈlis 〕*v.* 公布
target date 預定完成的日期
completion〔 kəmˈpliʃən 〕*n.* 完成

135. (**A**) 在科學用語中，一個現象指的是任何可觀測的事件，無論是多不常見的，即使這需要使用儀器來觀測的。

(A) ***phenomenon***〔 fəˈnɑməˌnɑn 〕*n.* 現象
(B) media〔ˈmidɪə〕*n. pl.* 媒介；媒體
(C) guideline〔ˈgaɪdˌlaɪn〕*n.* 指導方針
(D) demonstration〔ˌdɛmənˈstreʃən〕*n.* 示範

* scientific〔ˌsaɪənˈtɪfɪk〕*adj.* 科學的
usage〔ˈjusɪdʒ〕*n.* 用語　　event〔 ɪˈvɛnt 〕*n.* 事件
observable〔 əbˈzɝvəbl̩ 〕*adj.* 可觀察的
uncommon〔 ʌnˈkɑmən 〕*adj.* 罕見的
even if 即使　　require〔 rɪˈkwaɪr 〕*v.* 需要
instrumentation〔ˌɪnstrəmɛnˈteʃən〕*n.* 器具的使用
observe〔 əbˈzɝv 〕*v.* 觀察

136. (**C**) 「停、躺、滾」是一個心理學方法，提供那些在火場中的人，尤其是小孩，一套程序，讓他們能夠專注以避免恐慌。

(A) swim〔 swɪm 〕*v.* 游泳
(B) nap〔 næp 〕*n.* 小憩
(C) ***routine***〔 ru'tin 〕*n.* 程序
(D) place〔 ples 〕*n.* 場所

* drop〔 drɑp 〕*v.* 倒下　　roll〔 rol 〕*v.* 滾動
psychological〔ˌsaɪkə'lɑdʒɪkḷ〕*adj.* 心理學的
tool〔 tul 〕*n.* 方法
provide sb. with sth. 提供某人某物
particularly〔 pɚ'tɪkjələlɪ 〕*adv.* 尤其
focus on 專注於…　　***in order to…*** 爲了…
avoid〔 ə'vɔɪd 〕*v.* 避免　　panic〔'pænɪk 〕*n.* 恐慌

137. (**C**) 然而，我是一個守信用的人，而且我會做任何我能力所及的事情來實現對你的承諾。

(A) supervise〔'supɚˌvaɪz 〕*v.* 監督；管理
(B) control〔 kən'trol 〕*v.* 控制
(C) ***fulfill***〔 fʊl'fɪl 〕*v.* 履行
(D) prefer〔 prɪfɝ 〕*v.* 比較喜歡

* ***a man of one's word*** 守信用的人
in one's power 某人能力所及
promise〔'prɑmɪs 〕*n.* 承諾

138. (**A**) 因爲我們的對話沒有目擊證人，所以就是我說的話和她說的話做對照。

(A) ***against***〔 ə'gɛnst 〕*prep.* 反對；對照（= *in contrast to*）
(B) around〔 ə'raʊnd 〕*prep.* 在…周圍
(C) beside〔 bɪ'saɪd 〕*prep.* 在旁邊
(D) underneath〔ˌʌndɚ'niθ 〕*prep.* 在…之下

* witness〔ˈwɪtnɪs〕*n.* 目擊證人
conversation〔ˌkɑnvɚˈseʃən〕*n.* 對話
It's my word against hers. 我和她的話作對照。
(= *The only evidence is what I say and what she says.*)

139. (**D**) 芭蕾舞團是一群舞者，不是獨舞者，但卻是一直是整個芭蕾舞劇團中不可或缺的一部分，並且經常作爲主要舞者的背景。

(A) thief〔θif〕*n.* 小偷
(B) allowance〔əˈlaʊəns〕*n.* 零用錢
(C) proof〔pruf〕*n.* 證明
(D) ***backdrop***〔ˈbækˌdrɑp〕*n.* 背景

* ***the corps de ballet*** 芭蕾舞團
soloist〔ˈsoloɪst〕*n.* 獨奏者
permanent〔ˈpɝmənənt〕*adj.* 永久的
ballet〔ˈbæle〕*n.* 芭蕾舞
company〔ˈkʌmpənɪ〕*n.* 劇團　***work as*** 作爲
principal〔ˈprɪnsəpl̩〕*adj.* 主要的

140. (**A**) 在過去幾個世紀以來，南非動物的數量因爲狩獵、棲息地消失，以及污染而減少。

(A) ***habitat***〔ˈhæbəˌtæt〕*n.* 棲息地
(B) convention〔kənˈvɛnʃən〕*n.* 傳統
(C) solitude〔ˈsɑləˌtud〕*n.* 獨居
(D) recovery〔rɪˈkʌvərɪ〕*n.* 復元

* century〔ˈsɛntʃərɪ〕*n.* 世紀
South Afica〔saʊθ ˈæfrɪkə〕*n.* 非洲
decline〔dɪˈklaɪn〕*v.* 下降　***due to*** 由於
hunting〔ˈhʌntɪŋ〕*n.* 狩獵　loss〔lɔs〕*n.* 損失
pollution〔pəˈluʃən〕*n.* 污染

PART 6 詳解

參考以下信函，回答第 141 至 144 題。

致：ComQuest 全體同仁
來自：李奧納多・史夫雷特，人力資源經理
日期：11 月 2 日
回覆：工程師職缺

ComQuest【一個提供客製化線上學習的 app】的設計部門目前正開放一個職缺，徵求經驗豐富的電腦工程師。強大的電腦技能以及最新軟體程式的工作知識是必備的。
141

associate〔ə'soʃɪɪt〕*n.* 同伴；同事
director〔də'rɛktɚ〕*n.* 指導者；管理者
engineering〔ˌɛndʒə'nɪrɪŋ〕*n.* 工程
position〔pə'zɪʃən〕*n.* 位置；職位　***human resources*** 人力資源
immediate〔ɪ'midɪɪt〕*adj.* 目前的　opening〔'opənɪŋ〕*n.* 職缺
experienced〔ɪk'spɪrɪənst〕*adj.* 經驗豐富的
engineer〔ˌɛndʒə'nɪr〕*n.* 工程師　design〔dɪ'zaɪn〕*n.* 設計
department〔dɪ'pɑrtmənt〕*n.* 部門　skill〔skɪl〕*n.* 技能
working knowledge 足以應付工作的知識
latest〔'letɪst〕*adj.* 最新的　software〔'sɔftˌwɛr〕*n.* 軟體
program〔'progræm〕*n.* 程式

141.(**D**) 依文法，***are required*** 表示「被需要的」，故選 (D) ***required***。

有產品設計經驗，以及至少三年品管經驗的人選較佳。這次我們只接受公司內部候選人的申請。
142

candidate〔'kændəˌdet〕*n.* 候選人；志願者；有可能成爲…的人
minimum〔'mɪnəməm〕*n.* 最低限　quality〔'kwɑlətɪ〕*n.* 品質
control〔kən'trol〕*n.* 管理　accept〔ək'sɛpt〕*v.* 接受
application〔ˌæplə'keʃən〕*n.* 申請

142. (**A**) (A) ***internal***〔ɪn'tɝnḷ〕*adj.* 內部的
(B) international〔,ɪntɚ'næʃənḷ〕*adj.* 國際的
(C) recent〔'risṇt〕*adj.* 最近的
(D) early〔'ɝlɪ〕*adj.* 早的

然而，若我們沒有從符合資格的 ComQuest 同仁中收到足夠的申請，本職缺將會開放推薦。有關本職缺更詳細的描述(143)請上：www.comquest.com/opportunities

receive〔rɪ'siv〕*v.* 收到　sufficient〔sə'fɪʃənt〕*adj.* 足夠的
application〔,æplə'keʃən〕*n.* 申請
qualified〔'kwɑlə,faɪd〕*adj.* 符合資格的
referral〔rɪ'fɝəl〕*n.* 推舉；推薦　detailed〔'diteld〕*adj.* 詳細的

143. (**D**) (A) narrative〔'nærətɪv〕*n.* 敘事；故事
(B) critique〔krɪ'tik〕*n.* 批評
(C) commentary〔'kɑmən,tɛrɪ〕*n.* 評論
(D) ***description***〔dɪ'skrɪpʃən〕*n.* 描述

根據下面的文章，回答第 144 至 146 題。

致：史黛拉・萊佛 <stellal@hardhat.com>
來自：黃寬 <khuang@nothingbutturtles.com>
日期：10 月 14 日
主旨：Nothing But Turtles 網站
附件：產品目錄

嗨，史黛拉：

NBT【一家販售烏龜相關產品的零售店】很快就會收到秋季的系列產品，因此(144)，我們需要將我們的網頁升級來反應這些改變，並且宣傳我們的新產品。

nothing but 只有（= *only*）　attachment〔ə'tætʃmənt〕*n.* 附件
product〔'prɑdʌkt〕*n.* 產品　catalog〔'kætḷ,ɔg〕*n.* 目錄

receive〔rɪˈsiv〕*v.* 收到　***product line*** 系列產品
shortly〔ˈʃɔrtlɪ〕*adv.* 不久；很快　update〔ʌpˈdet〕*v.* 更新
web site 網站　reflect〔rɪˈflɛkt〕*v.* 反應
promote〔prəˈmot〕*v.* 促銷　item〔ˈaɪtəm〕*n.* 商品

144. (**D**) (A) Nevertheless〔ˌnɛvəðəˈlɛs〕*adv.* 然而
(B) Likewise〔ˈlaɪkˌwaɪz〕*adv.* 同樣地
(C) Moreover〔morˈovɚ〕*adv.* 此外
(D) ***Accordingly***〔əˈkɔrdɪŋlɪ〕*adv.* 因此

我希望首頁主打龜殼花紋的陶器，那些在市面上都很難找到。我們是新罕布夏州唯二被允許出售龜殼產品的零售店之一，所以，我們眞的很希望這一點可以在網站上被強調。
145

home page 首頁　feature〔ˈfitʃɚ〕*v.* 以…爲特色
tortoise〔ˈtɔrtəs〕*n.* 烏龜　shell〔ʃɛl〕*n.* 殼
ceramic〔səˈræmɪk〕*adj.* 陶瓷的　pottery〔ˈpɑtərɪ〕*n.* 陶器
retailer〔ˈritelɚ〕*n.* 零售商　state〔stet〕*n.* 州
New Hampshire〔ˌnuˈhæmpʃɚ〕*n.* 新罕布夏州
be allowed to V. 被允許～

145. (**B**) 依文法，***want sth. + p.p.***「想要某事被～」。
本句 = so we really want it to be emphasized on the site
表示「希望這件事能夠被強調」，爲被動語態句型，故選 (B) ***emphasized***。

另一方面，我想要更新線上購物的頁面，以反應各式各樣的改變，像是已經售完，或是我們不會再出售的商品。我已經附上我們的新目錄，裡面也包含了相關產品的照片。請挑選最吸引人的圖片放在網站上。
146

meanwhile〔ˈminˌhwaɪl〕*adv.* 另一方面；同時
would like to V. 想要～　online〔ɑnˈlaɪn〕*adj.* 線上的
a wide variety of 各式各樣的　***i.e.*** 即；像是
merchandise〔ˈmɝtʃənˌdaɪz〕*n.* 商品　***out of stock*** 缺貨；售完

no longer 不再　carry〔ˈkærɪ〕*v.* 出售
attach〔əˈtætʃ〕*v.* 附上　contain〔kənˈten〕*v.* 包含
relevant〔ˈrɛləvənt〕*adj.* 相關的　select〔səˈlɛkt〕*v.* 挑選
attractive〔əˈtræktɪv〕*adj.* 吸引人的

146. (**A**) (A) ***image***〔ˈɪmɪdʒ〕*n.* 圖像；影像
(B) explanation〔ˌɛkspləˈneʃən〕*n.* 說明
(C) chart〔tʃɑrt〕*n.* 圖表
(D) catalogue〔ˈkætḷˌɑg〕*n.* 目錄

感謝你，
黃寬
執行經理，Nothing But Turtles

根據下面的文章，回答第 147 至 149 題。

致：全體員工
來自：席琳・勞爾
日期：10 月 30 日
主旨：全新的網路伺服器

這是一則提醒，我們即將要轉移至新的伺服器配置。自今天下午五點起(147)，整個網路系統直到有進一步通知前，將會關閉。

employee〔ɪmˈplɔɪ-i〕*n.* 員工　server〔ˈsɝvɚ〕*n.*（網路）伺服器
reminder〔rɪˈmaɪndɚ〕*n.* 提醒；通知
transition〔trænˈzɪʃən〕*n.* 轉移
configuration〔kənˌfɪgjəˈreʃən〕*n.*（電腦軟體）配置
entire〔ɪnˈtaɪr〕*adj.* 全體的
down〔daun〕*adj.*（電腦）停止工作的
further〔ˈfɝðɚ〕*adj.* 進一步的　notice〔ˈnotɪs〕*n.* 通知；公告

147. (**B**) (A) Due to 由於　(B) ***As of*** 自…起（= *As from*）
(C) Prior to 在…之前　(D) Aside from 除此之外

因此，這，是很重要的，你可能會需要的任何文件夾，要儲存備份檔案。請注意在轉移過程中，任何在你的分享資料夾中未儲存的文件將會被永久地刪除。
148

thus〔ðʌs〕*adv.* 因此　back-up〔ˈbækˌʌp〕*adj.* 備份的
file〔faɪl〕*n.* 文件夾　note〔not〕*v.* 注意
process〔ˈprɑsɛs〕*n.* 過程　document〔ˈdɑkjəmənt〕*n.* 文件
folder〔ˈfoldɚ〕*n.* 文件夾　permanently〔ˈpɝmənəntlɪ〕*adj.* 永久的

148. (**D**) 依句意，「將會被永久地刪除」應爲未來式被動語態，故選 (D) ***will be deleted***。

我們感謝您的合作以及在轉移期間的耐心，這可能會花費將近二十四小時完成。
149

如果您還有問題，請直接撥打 (802) 765-0099 聯絡我。

appreciate〔əˈpriʃɪˌet〕*v.* 感激
cooperation〔koˌɑpəˈreʃən〕*n.* 合作　patience〔ˈpeʃəns〕*n.* 耐心
take up 佔用；花費　complete〔kəmˈplit〕*v.* 完成
contact〔ˈkɑntækt〕*v.* 聯絡　directly〔dəˈrɛktlɪ〕*adv.* 直接地

149. (**A**) 依文法，關係代名詞可代替先行詞並且連接前後句子，此處 which 即代替先行詞 transition，故選 (A)。

根據下面的文章，回答第 150 至 152 題。

致：法蘭克・凡德森 <frank@fendersonphotos.com>
來自：吉米・史旺奇
日期：1 月 24 日
附件：投稿人同意書

我非常高興能夠收到您投稿亞洲圖片旅遊指南第三版的照片，這本書預定四月出刊。
150

contributor〔kənˈtrɪbjutɚ〕*n.* 投稿人
agreement〔əˈgrimənt〕*n.* 協議；同意書

submission〔səbˈmɪʃən〕*n.* 提案；投稿
illustrated〔ˈɪləstretɪd〕*adj.* 附圖解的　guide〔gaɪd〕*n.* 指南
Asia〔ˈeʒə〕*n.* 亞洲　edition〔ɪˈdɪʃən〕*n.* 版
due〔du〕*adj.* 預定的　publication〔ˌpʌblɪˈkeʃən〕*n.* 出版

150. (**D**) (A) advertisement〔ˌædvəˈtaɪzmənt〕*n.* 廣告
(B) article〔ˈartɪkḷ〕*n.* 文章
(C) comment〔ˈkamɛnt〕*n.* 評論
(D) ***photograph***〔ˈfotəˌgræf〕*n.* 照片

我相信它們對我們最新的版本會有很大的貢獻，尤其是您在澳門新港拍攝的照片。 151

contribution〔ˌkantrəˈbjuʃən〕*n.* 貢獻
particularly〔pəˈtɪkjələlɪ〕*adv.* 尤其　shot〔ʃat〕*n.* 照片
harbour〔ˈharbə〕*n.* 港口　Macau〔məˈkaʊ〕*n.* 澳門

151. (**C**) 依文法，***make a great contribution to***「對…有很大的貢獻」，故選 (C) ***to***。

然而，我注意到您還沒簽署投稿人同意書。請您盡快完成這件事。我已經附上另一份同意書的副本，您在方便的時候可以下載、簽名並回傳給我。 152

sign〔saɪn〕*v.* 簽名　***as soon as possible*** 盡快
copy〔ˈkapɪ〕*n.* 副本　return〔rɪˈtɝn〕*v.* 歸還
at** one's **convenience 按某人的方便
regards〔rɪˈtɝn〕*n. pl.* 致意；問候【用於信函】
editor〔ˈɛdɪtə〕*n.* 編輯

152. (**C**) 依句意，「可以下載、簽名然後寄回」，皆為現在式主動語態，故應選 (C) ***can download***。

祝一切安好，
吉米・史旺奇，編輯
流浪者媒體

PART 7 詳解

根據以下公告，回答第 153 至 154 題。

公告　　芝加哥交通局 

地鐵乘客請注意！

服務變更

列車停駛

星期六早上 12:01 至星期一早上 5:00

到11月20日以前計畫系統變更

請造訪www.cta.gov以獲得更多訊息

** notice〔ˈnotɪs〕*n.* 公告　transit〔ˈtrænsɪt〕*n.* 運輸
authority〔əˈθɔrətɪ〕*n.* 當局；公共事業機關
Chicago Transit Authority 芝加哥交通局
attention〔əˈtɛnʃən〕*n.* 注意　rider〔ˈraɪdɚ〕*n.* 乘客
service〔ˈsɝvɪs〕*n.* 服務

153. (**A**) 這則公告的主要目的是什麼？

(A) 公告服務變更。　(B) 解釋車費調漲。
(C) 建議替代方法。　(D) 建立一般營運規則。

* bulletin〔ˈbʊlətn̩〕*n.* 告示
announce〔əˈnaʊns〕*v.* 公告　fare〔fɛr〕*n.* 車費
suggest〔səgˈdʒɛst〕*v.* 建議
alternate〔ˈɔltɚnɪt〕*adj.* 替代的

method〔'mɛθəd〕*n.* 方法
establish〔ə'stæblɪʃ〕*v.* 建立
conduct〔'kɑndʌkt〕*n.* 營運

154. (**B**) 這則公告最有可能在哪裡被找到？

(A) 在餐廳裡。 (B) 在地鐵站裡。
(C) 在超市裡。 (D) 在醫院裡。

* supermarket〔'supə͵mɑrkɪt〕*n.* 超級市場
hospital〔'hɑspɪtl̩〕*n.* 醫院

根據以下報導，回答第 155 至 157 題。

未來五天氣象				
今天	星期二	星期三	星期四	星期五
雨 **29°/19°**	部份多雲 **32°/19°**	晴 **33°/20°**	濕熱 **35°/29°**	多雲涼爽 **25°/21°**
紫外線指數 2+	紫外線指數 7	紫外線指數 7	紫外線指數 9+	紫外線指數 0
降雨機率				
100%	**20%**	**30%**	**70%**	**0%**
目前狀況				
風(公里/小時) 西南 **20**	日出/日落 ↑上午6:32 ↓下午7:47	月亮 下弦月	溫度 **27°**	濕度 **95%**

** outlook〔ˈaʊtˌlʊk〕*n.* 展望　partly〔ˈpɑrtlɪ〕*adv.* 部分地
cloudy〔ˈklaʊdɪ〕*adj.* 多雲的　humid〔ˈhjumɪd〕*adj.* 潮濕的
UV index 紫外線指數　chance〔tʃæns〕*n.* 機率
precipitation〔prɪˌsɪpəˈteʃən〕*n.* 降雨
current〔ˈkɝənt〕*adj.* 現在的　***SW*** 西南（= *southwest*）
sunrise〔ˈsʌnˌraɪz〕*n.* 日出　sunset〔ˈsʌnˌsɛt〕*n.* 日落
last quarter 下弦月　temperature〔ˈtɛmpərətʃɚ〕*n.* 溫度
humidity〔hjuˈmɪdətɪ〕*n.* 濕度

155. (**D**) 現在溫度是幾度？
(A) 上午 6:32。　(B) 95%。
(C) 西南 20。　(D) 27 度。

156. (**B**) 明天的天氣預報是什麼？
(A) 下雨。　(B) 部份多雲。
(C) 晴。　(D) 濕熱。
* forecast〔forˈkæst〕*n.* 預報

157. (**C**) 最有可能在哪一天下雨？
(A) 星期二。　(B) 星期三。
(C) 星期四。　(D) 星期五。

根據下列安全資訊，回答第 158 至 159 題。

伊瑞克斯用於治療男性性功能障礙、男性良性攝護腺肥大，以及性功能障礙的徵兆和良性攝護腺肥大的症狀兩者皆有的男性。伊瑞克斯不適用於女性和小孩。伊瑞克斯（泰達拉菲）藥片重要的安全資訊如下

如果你有下列情形，請勿使用：

- 服用名為「硝酸鹽類」的藥物，像是二硝酸伊速必得或單硝酸伊速必得，這些常是用於胸痛的處方，而兩者結合可能導致不安全地血壓下降
- 使用「亞硝酸戊酯類」的消遣性毒品，舉例來說，亞硝酸異戊酯和亞硝酸異丁酯
- 對伊瑞克斯和阿得希卡（泰達拉菲），或其中任何成份過敏。如果你碰到任何的過敏反應，像是皮疹，蕁麻疹，嘴唇、舌頭或喉嚨腫大，或呼吸困難，或吞嚥困難，立刻打電話給你的醫療服務提供者或尋找幫助

在服用一片伊瑞克斯之後，其活性成分會殘留在你的體內超過 **2** 天。如果你的腎或肝有問題，或你在服用其它特定藥物，活性成分會殘留更久。

如果你在性行為過程中碰到下列症狀，像是胸痛、頭昏眼花、或反胃，立刻停止性行為並尋求醫療援助。性行為會增加你心臟的負擔，尤其是在如果你的心臟已經因為心臟病和心臟疾病而脆弱的情況下。

** ***ERECTUS*** 伊瑞克斯【藥名】　　intend〔ɪn'tɛnd〕*v.* 打算

treatment〔'tritmənt〕*n.* 治療　　erectile〔ɪ'rɛktḷ〕*adj.* 能勃起的

dysfunction〔dɪs'fʌŋkʃən〕*n.* 功能失常

erectile dysfunction (***ED***) 男性性功能障礙

sign〔saɪn〕*n.* 徵兆　　symptom〔'sɪmptəm〕*n.* 症狀

benign〔bɪ'naɪn〕*adj.* 良性的

prostatic〔,pros'tætɪk〕*adj.* 攝護腺的

hyperplasia〔,haɪpɚ'pleʒə〕*n.* 增生

benign prostatic hyperplasia 良性攝護腺肥大

tadalafil 泰達拉菲【生殖系統用藥藥名】　　tablet〔'tæblɪt〕*n.* 藥片

medicine〔ˈmɛdəsn̩〕*n.* 醫學　nitrate〔ˈnaɪtret〕*n.* 硝酸鹽
isosorbide 異山梨酯（伊速必得）【預防或治療心絞痛的藥物】
dinitrate〔ˈdaɪnaɪtret〕*n.* 二硝酸鹽
isosorbide dinitrate 二硝酸伊速必得【心血管用藥】
mononitrate〔ˌmɑnoˈnaɪtret〕*n.* 單硝酸
isosorbide mononitrate 單硝酸伊速必得【心血管用藥】
prescribe〔prɪˈskraɪb〕*v.* 開立（處方）　chest〔tʃɛst〕*n.* 胸
pain〔pen〕*n.* 疼痛　combination〔ˌkɑmbəˈneʃən〕*n.* 組合
unsafe〔ʌnˈsef〕*adj.* 不安全的　drop〔drɑp〕*n.* 下降
pressure〔ˈprɛʃɚ〕*n.* 血壓　***blood pressure*** 血壓

recreational〔ˌrɛkrɪˈeʃənl̩〕*adj.* 消遣的；休閒的
drug〔drʌg〕*n.* 毒品；藥　***recreational drug*** 消遣性毒品
popper〔ˈpɑpɚ〕*n.* 亞硝酸戊酯　amyl〔ˈæmɪl〕*n.* 戊基
nitrite〔ˈnaɪtraɪt〕*n.* 亞硝酸鹽　***amyl nitrite*** 亞硝酸異戊酯
butyl〔ˈbjutɪl〕*n.* 丁基　***butyl nitrite*** 亞硝酸異丁酯
allergic〔əˈlɝdʒɪk〕*adj.* 過敏的　***ADCIRCA*** 阿得希卡【藥名】
ingredient〔ɪnˈgridɪənt〕*n.* 成分
healthcare〔ˌhɛlθˈkɛr〕*n.* 醫療服務；保健事業
provider〔prəˈvaɪdɚ〕*n.* 提供者　***right away*** 立刻
experience〔ɪkˈspɪrɪəns〕*v.* 碰到；經歷
reaction〔rɪˈækʃən〕*n.* 反應　rash〔ræʃ〕*n.* 皮疹
hives〔haɪvz〕*n. pl.* 蕁麻疹　swelling〔ˈswɛlɪŋ〕*n.* 腫
lip〔lɪp〕*n.* 嘴唇　tongue〔tʌŋ〕*n.* 舌　throat〔θrot〕*n.* 喉嚨

swallow〔ˈswɑlo〕*v.* 吞嚥　remain〔rɪˈmen〕*v.* 殘留
active〔ˈæktɪv〕*adj.* 活躍的　***active ingredient*** 活性成分
kidney〔ˈkɪdnɪ〕*n.* 腎臟　liver〔ˈlɪvɚ〕*n.* 肝臟
medication〔ˌmɛdɪˈkeʃən〕*n.* 藥物　sexual〔ˈsɛkʃuəl〕*adj.* 性的
medical〔ˈmɛdɪkl̩〕*adj.* 醫學的
dizziness〔ˈdɪzənɪs〕*n.* 頭昏眼花　nausea〔ˈnɔʒə〕*n.* 反胃
extra〔ˈɛkstrə〕*adj.* 額外的　strain〔stren〕*n.* 負擔
especially〔əˈspɛʃəlɪ〕*adv.* 尤其　attack〔əˈtæk〕*n.* 發病
heart attack 心臟病

158.(**A**) 伊瑞克斯是什麼？

(A) 一種藥物。 (B) 一場教育研討會。
(C) 一種宿疾。 (D) 一種過敏型態。

* educational〔ˌɛdʒəˈkeʃənl̩〕*adj.* 教育的
seminar〔ˈsɛməˌnɑr〕*n.* 研討會
pre-existing〔ˌpriɪgˈzɪstɪŋ〕*adj.* 早已存在的
pre-existing medical condition 宿疾

159.(**D**) 下列何者不是伊瑞克斯的潛在的副作用？

(A) 胸痛。 (B) 反胃。
(C) 頭昏眼花。 (D) 肌肉酸痛。

* side〔saɪd〕*adj.* 副的；附加的 effect〔əˈfɛkt〕*n.* 影響
side effect 副作用 ache〔ek〕*n.* 酸痛

根據下列雜誌的文章，回答第 160 至 162 題。

赤腳公園（在英國也被稱為赤腳步道）是個為知覺體驗和自然療養打造的主題公園。這類的地方定期地保持整潔並維持整齊，所以在這種合適的環境裡可以赤腳健行。赤腳公園通常包含很多探險地點。旅客透過體驗去感受在腳下的不同土壤質地；涉水通過小河、小溪、或池塘；並透過保持平衡和爬山運動他們的雙腳。遊樂場；淡水浴場；還有供嗅覺、聽覺、和看不同色彩的設備；還有探索隱藏物品也包括在內。

赤腳公園原先的概念是在 19 世紀被賽巴斯欽・奈普所探討及開發，他是自然療法運動的始祖之一。他相信將你的腳用在不同範圍的自然刺激物上可以獲得有療效的益處。這也和古代的反射論經驗有關，它被中國實行了數千年，為的是放鬆和增長壽命。

** barefoot (ˈbɛr,fʊt) *adj.* 赤腳的　term (tɝm) *v.* 稱爲…
walk (wɔk) *n.* 步道　theme (θim) *n.* 主題
theme park 主題樂園
sensory (ˈsɛnsərɪ) *adj.* 知覺的
natural (ˈnætʃərəl) *adj.* 自然的
wellness (ˈwɛlnɪs) *n.* 健康　***natural wellness*** 自然療養
area (ˈɛrɪə) *n.* 地方　maintain (menˈten) *v.* 維持
regular (ˈrɛgjələ˞) *adj.* 整齊的　basis (ˈbesɪs) *n.* 基礎
on a regular basis 定期地
appropriate (əˈproprɪ,et) *adj.* 適合的
environment (ɪnˈvaɪrənmənt) *n.* 環境

soil (sɔɪl) *n.* 土壤　texture (ˈtɛkstʃə˞) *n.* 質地
underfoot (,ʌndə˞ˈfʊt) *adv.* 在腳下
wade (wed) *v.* 涉水而過　brook (brʊk) *n.* 小河
pond (pɑnd) *n.* 池塘　balance (ˈbæləns) *v.* 保持平衡
playground (ˈple,graʊnd) *n.* 遊樂場
bathing (ˈbeðɪŋ) *n.* 沐浴
bathing lake 淡水浴場【可沐浴、游泳的天然湖泊】
equipment (ɪˈkwɪpmənt) *n.* 設備
hidden (ˈhɪdn̩) *adj.* 被隱藏的；不可思議的
object (ˈɑbdʒɪkt) *n.* 物體
original (əˈrɪdʒənl̩) *adj.* 原先的

concept (ˈkɑnsɛpt) *n.* 概念　explore (ɪkˈsplor) *v.* 探討
founder (ˈfaʊndə˞) *n.* 始祖；創辦人
Naturopathic (,netʃərəˈpæθɪk) *adj.* 自然療法的
movement (ˈmuvmənt) *n.* 運動
apply (əˈplaɪ) *v.* 用　range (rendʒ) *n.* 範圍
stimuli (ˈstɪmjə,laɪ) *n. pl.* 刺激物
therapeutic (,θɛrəˈpjutɪk) *adj.* 有療效的
benefit (ˈbɛnəfɪt) *n.* 益處　***relate to*** 有關
ancient (ˈenʃənt) *adj.* 古代的

practice〔ˈpræktɪs〕*n.* 經驗 *v.* 實行；練習
reflexology〔ˌriflɛkˈsɑlədʒɪ〕*n.* 反射論
relaxation〔ˌrilæksˈeʃən〕*n.* 休養
promote〔prəˈmot〕*v.* 增加
longevity〔lɑnˈdʒɛvətɪ〕*n.* 壽命

160.（**B**）本篇文章主要在說什麼？

(A) 健康議題。
(B) 休閒活動。
(C) 經濟問題。
(D) 工業問題。

* issue〔ˈɪʃu〕*n.* 議題 leisure〔ˈliʒɚ〕*n.* 休閒
economic〔ˌikəˈnɑmɪk〕*adj.* 經濟的
industrial〔ɪnˈdʌstrɪəl〕*adj.* 工業的
complication〔ˌkɑmpləˈkeʃən〕*n.* 麻煩的問題；複雜

161.（**B**）公園的主要吸引人的是什麼？

(A) 裸體洗澡。
(B) 赤腳健行。
(C) 免費醫療。
(D) 情色按摩。

* nude〔njud〕*adj.* 裸體的
sensual〔ˈsɛnʃuəl〕*adj.* 好色的

162.（**D**）關於賽巴斯欽・奈普何者爲眞？

(A) 他不相信自然療法。
(B) 他在中國學習數年。
(C) 他是反射論一流的專家。
(D) 他發展了赤腳公園的概念。

* leading〔ˈlidɪŋ〕*adj.* 一流的

根據以下公告，回答第163至165題。

紐兒優二手義賣又回來了，因應大衆的要求連續舉辦第二年！

日期在12月1日星期六，從早上11:00到下午7:00，以及12月2日星期日，早上11:00點到下午5:00。

地點靠近捷運行天宮站一號出口。地址：民生東路2段127巷10號1樓。

如果你想要丟掉你乾淨、用過而仍然狀況良好的物品，請考慮將它們捐贈給這個慈善活動。

我們在找男士和女士的衣服、像是襯衫、褲子、夾克、鞋子、洋裝、裙子、皮帶、圍巾和珠寶。我們也想要書和英文雜誌。其它小型家庭物品也接受。請注意：接受捐贈的截止日期爲**11月25日**。

** ***second hand*** 二手物品　charity〔ˈtʃærətɪ〕*n.* 慈善
charity sale 義賣　***in a row*** 連續
Xingtian Temple MRT Station 行天宮站
section〔ˈsɛkʃən〕*n.* 段　lane〔len〕*n.* 巷
get rid of 丟掉；擺脫　***in great condition*** 處於很好的狀態
donate〔ˈdonet〕*v.* 捐贈　event〔ɪˈvɛnt〕*n.* 事件
clothing〔ˈkloðɪŋ〕*n.* 衣服　shirt〔ʃɝt〕*n.* 襯衫
dress〔drɛs〕*n.* 洋裝　belt〔bɛlt〕*n.* 皮帶
scarves〔skɑrvz〕*n. pl.* 圍巾　jewelry〔ˈdʒuəlrɪ〕*n.* 珠寶
magazine〔ˈmægəˌzin〕*n.* 雜誌
household〔ˈhaʊsˌhold〕*adj.* 家庭的；裂縫
note〔not〕*v.* 注意　cut-off〔ˌkʌtˈɔf〕*n.* 截止日
accept〔əkˈsɛpt〕*v.* 接受　donation〔doˈneʃən〕*n.* 捐贈

163. (**A**) 這則公告的主要目的是什麼？

(A) 推廣慈善活動。

(B) 懇求財務捐獻。

(C) 提供服務。

(D) 對問題建議解決方案。

* promote〔prə'mot〕*v.* 推廣；促銷
solicit〔sə'lɪsɪt〕*v.* 懇求
financial〔fə'nænʃəl〕*adj.* 財務的
propose〔prə'poz〕*v.* 建議

164. (**B**) 12 月 1 日和 12 月 2 日會發生什麼事？

(A) 接受慈善捐贈。

(B) 舉行特別拍賣會。

(C) 進行示威活動。

(D) 捐贈人接受特別儀式。

* ***take place*** 舉行
demonstration〔ˌdɛmən'streʃən〕*n.* 示威活動
donor〔'donɚ〕*n.* 捐贈人
ceremony〔'sɛrəˌmonɪ〕*n.* 儀式；典禮

165. (**C**) 下列何者是會被接受的捐贈品？

(A) 一台舊冰箱。

(B) 一輛二手腳踏車。

(C) 一雙男鞋。

(D) 一盒糖果。

* refrigerator〔rɪ'frɪdʒəˌretɚ〕*n.* 冰箱
used〔just〕*adj.* 二手的；用過的

根據以下備忘錄，回答第 166 至 168 題。

公 共 訊 息 會 議

福貝瓦的一號道路改善
菲爾費斯郡

會議：2011 年 10 月 19 日星期三；晚上 6:00 點到 8:00 點；維吉尼亞，亞歷山德亞，里察蒙公路 8350 號，南郡中心，221 室。

目的：聯邦公路管理局與菲爾費斯郡、維吉尼亞交通運輸部、美國駐福貝瓦陸軍守備隊合作調查改善穿越福貝瓦的美國一號道路。調查範圍從電報路到佛南山紀念公路。調查的內容爲確認運輸需求、分析替代方案以達成需求，並且分析那些替代方案的環境影響，依照國家環境政策條例和國家歷史保護條例，所有的調查都將爲環境評估提供文件。與地方、州、和聯邦各代表的公共參與和協調會在整個調查中持續進行。在這個調查階段，公民會持續收到近期計畫活動的新訊息和被邀請提供建議及評論，內容包含一號道路此區域中受到考慮的運輸需求替代方案。對感興趣民衆的來說這是個機會，能夠非正式地接觸調查組員和討論想法、建議及重要的事。訊息的展示和傳單可在會議上取得，而晚上 6:30 會有場簡報。額外的計畫訊息可以在聯邦公路管理局的網站上找到：http://www.efl.fhwa.dot.gov/projects/environment.aspx。公共會議的摘要會在會議結束的兩週內發布在網站上。

評論：調查相關的評論或其它資訊可以在會議上提出或在 **2011 年 10 月 31** 日工作日結束前寄給聯邦公路管理局的計畫主管傑克・范達先生，20166 維吉尼亞，史特林，橋頭圓環 21400 號，聯邦公路管理局，聯邦東部公路部門。評論也可以經由電子郵件寄給：Jack.VanDop@dot.gov。

特別援助：如果你需要額外的資訊或特別援助以出席和參與這場會議，請來電至帕松斯運輸集團 202-469-6481。

美國交通部
聯邦公路管理局

** route〔 rut 〕n. 路　improvement〔 ɪm'pruvmənt 〕n. 改善
Fort Belvoir 福貝瓦【位於美國維吉尼亞州】
highway〔'haɪ,we 〕n. 公路
Alexandria 亞歷山德亞【位於美國維吉尼亞州】
Virginia〔 və'dʒɪnjə 〕n. 維吉尼亞洲【美國東部的一州】
federal〔'fɛdərəl 〕adj. 聯邦的
administration〔 əd,mɪnə'streʃən 〕n. 局；行政部門
Federal Highway Administration (FHWA) 聯邦公路管理局
cooperation〔 ko,ɑpə'reʃən 〕n. 合作
transportation〔,trænspə'teʃən 〕n. 運輸
Virginia Department of Transportation (VDOT) 維吉尼吉交通運輸部　garrison〔'gærəsn̩ 〕n. 駐軍；部隊

the U.S. Army Garrison at Fort Belvoir 美國駐福貝瓦陸軍守備隊
telegraph〔'tɛlə,græf 〕n. 電報
Mount Vernon〔 maʊnt'vɝnən 〕n. 佛南山【位於美國維吉尼亞州，爲喬治華盛頓之故居及埋葬地】
memorial〔 mə'morɪəl 〕adj. 紀念的　n. 紀念館
Mount Vernon Memorial Highway 佛南山紀念公路
component〔 kəm'ponənt 〕n. 內容；成分
identification〔 aɪ'dɛntəfə'keʃən 〕n. 確認
analysis〔 ə'næləsɪs 〕n. 分析
alternative〔 ɔl'tɝnətɪv 〕n. 替代方案

consequence〔'kɑnsə,kwɛns 〕n. 結果
document〔'dɑkjəmənt 〕v. 爲…提供文件
assessment〔 ə'sɛsmənt 〕n. 評估
compliance〔 kəm'plaɪəns 〕n. 服從
in compliance with 依照；遵從　policy〔'pɑləsɪ 〕n. 政策
act〔 ækt 〕n. 條例；法令　historic〔 hɪs'tɔrɪk 〕adj. 有歷史性的
preservation〔,prɛzə'veʃən 〕n. 保護
involvement〔 ɪn'vɑlvmənt 〕n. 牽連
public involvement 公共論壇
coordination〔 ko,ɔrdn̩'eʃən 〕n. 協調　state〔 stet 〕n. 州
agency〔'edʒənsɪ 〕n. 代理　ongoing〔'ɑn,goɪŋ 〕adj. 不間斷的
citizen〔'sɪtəzn̩ 〕n. 市民　update〔 ʌp'det 〕v. 爲…補充最新資料

project〔'prɑdʒɛkt〕*n.* 計畫
suggestion〔səg'dʒestʃən〕*n.* 提案；建議
comment〔'kɑmɛnt〕*n.* 評論　consider〔kən'sɪdɚ〕*v.* 考慮
address〔ə'drɛs〕*v.* 提出　corridor〔'kɔrədɚ〕*n.* 通道
opportunity〔,ɑpɚ'tjunətɪ〕*n.* 機會
interested〔'ɪntərɪstɪd〕*adj.* 感興趣的
informally〔ɪn'fɔrmḷɪ〕*adv.* 非正式的
concern〔kən'sɝn〕*n.* 重要的事
informational〔,ɪnfɚ'meʃənḷ〕*adj.* 訊息的
display〔dɪ'sple〕*n.* 展示　handout〔'hændaʊt〕*n.* 傳單；講義
available〔ə'veləbḷ〕*adj.* 可用的　brief〔brif〕*adj.* 簡短的
presentation〔,prɛzṇ'teʃən〕*n.* 簡報
additional〔ə'dɪʃənḷ〕*n.* 額外的　summary〔'sʌmərɪ〕*n.* 摘要
relevant〔'rɛləvənt〕*adj.* 相關的　submit〔səb'mɪt〕*v.* 提出
division〔də'vɪʒən〕*n.* 部門
Sterling 史特林【位於美國維亞尼亞洲】　***business day*** 工作天
via〔'vaɪə〕*prep.* 經由　assistance〔ə'sɪstəns〕*n.* 幫助
attend〔ə'tɛnd〕*v.* 出席　participate〔pɑr'tɪsə,pet〕*v.* 參加
Parsons Transportation Group 帕松斯運輸集團【美國非營利機構】

166. (**C**) 這則消息主要是關於什麼？

(A) 安全風險。　(B) 許可證申請。
(C) 道路改善。　(D) 小型企業。

* hazard〔'hæzɚd〕*n.* 風險　permit〔pɚ'mɪt〕*n.* 許可證
application〔,æplə'keʃən〕*n.* 申請

167. (**B**) 會議將在哪裡舉行？

(A) 維吉尼亞，福貝瓦。　(B) 維吉尼亞，亞歷山德亞。
(C) 維吉尼亞，菲爾費斯。　(D) 維吉尼亞，史特林。

168. (**B**) 誰發布了這則消息？

(A) 維吉尼亞交通運輸部。　(B) 聯邦公路管理局。
(C) 美國駐軍。　(D) 帕松斯運輸集團。

根據以下社區公告，回答第 169 至 172 題。

自願服務更簡單

在找新方法和很酷的人們相遇嗎？萬磚的自願服務提供許多有趣的機會遇見新朋友，並同時給社區一點回饋！我們籌劃大型計畫，在這裡我們的義工可以一起工作、社交，和建立聯絡網，也同時爲社區帶來好處。

來加入我們！

何事：葛萊免費餐點計畫
何時：10 月 7 日星期日
何地：舊金山，艾里街 330 號
請回覆：按這裡

以下是該項即將到來的活動的更多資訊：
葛萊免費餐點計畫在一年之中每天提供營養的三餐給城市的窮人和街友。這大約等同於每年一百萬餐！

萬磚義工將會幫助葛萊員工準備用餐區、放置食物於拖盤、將拖盤帶給坐上賓客和擦桌子。你在葛萊的出席送出非常有力的訊息給那些在每日免費餐點計畫吃飯的飢餓人們——這表達出你的關心且他們值得你花時間和精力。利用葛萊每日免費餐點計畫的多種族群包括街友、幾乎沒有房子住的人、那些生活受毒品和酒精和（或）心理疾病所影響的人、老年人、和低收入家庭或個人。

其它活動訊息：請穿著舒服的衣服，那些你不介意用來送食物和弄髒一點的衣服。請著非露趾鞋和長袖或短袖襯衫（背心不可）。在自願服務其間你會被穿戴髮網（或者是你自己帶的帽子）、塑膠圍裙和塑膠手套。一直以來，在活動之後，我們會一起前往用餐和喝酒。我們到時候一定會很餓！

** community〔kə'mjunətɪ〕*n.* 社區
bulletin〔bʊlətn̩〕*n.* 公告　brick〔brɪk〕*n.* 磚
volunteering〔ˌvɑlən'tɪrɪŋ〕*n.* 自願服務
give back 回饋　***at the same time*** 同時
organize〔'ɔrgənˌaɪz〕*v.* 籌劃；組織
volunteer〔ˌvɑlən'tɪr〕*n.* 義工；自願者
socialize〔'soʃəˌlaɪz〕*v.* 參加社交活動
network〔'nɛtˌwɝk〕*n.* 聯絡網　***come out*** 出現
San Francisco 舊金山【位於美國加州，爲美國西部最大的貿易港】
RSVP 請回覆　upcoming〔'ʌpˌkʌmɪŋ〕*adj.* 即將來臨的
meal〔mil〕*n.* 一餐　nutritious〔nju'trɪʃəs〕*adj.* 營養的

poor〔pʊr〕*n.* 窮人　homeless〔'homlɪs〕*n.* 街友；遊民
equal〔'ikwəl〕*adj.* 等同的
roughly〔'rʌflɪ〕*adv.* 大約；粗略的
annually〔'ænjʊəlɪ〕*adj.* 一年的　assist〔ə'sɪst〕*v.* 幫助
staff〔stæf〕*n.* 工作人員　serving〔'sɝvɪŋ〕*n.* 服務
tray〔tre〕*n.* 盤子　***serving tray*** 拖盤；端食物用的大盤子
wipe down 擦乾淨　presence〔'prɛzn̩s〕*n.* 出席
worthy〔'wɝðɪ〕*adj.* 値得的　diverse〔də'vɝs〕*adj.* 多種的
population〔ˌpɑpjə'leʃən〕*n.* 族群；人口
regularly〔'rɛgjələlɪ〕*adv.* 有規律地
utilize〔'jutl̩ˌaɪz〕*v.* 利用　daily〔'delɪ〕*adj.* 每天的
impact〔'ɪmpækt〕*v.* 影響　alcohol〔'ælkəˌhɔl〕*n.* 酒
mental〔'mɛntl̩〕*adj.* 心理的　illness〔'ɪlnɪs〕*n.* 疾病
elderly〔'ɛldəlɪ〕*n.* 老年人

low-income〔lɔ'ɪnˌkʌm〕*adj.* 低收入的
individual〔ˌɪndə'vɪdʒʊəl〕*n.* 個人
info〔'ɪnfo〕*n.* 情報（= *information*）
closed-toe shoes 非露趾鞋　tank top〔tæŋk'tɑp〕*n.* 背心
net〔nɛt〕*n.* 網　plastic〔'plæstɪk〕*adj.* 塑膠的
apron〔'eprən〕*n.* 圍裙　glove〔glʌv〕*n.* 手套
head out 前往；離開某處去　***by then*** 到時候

169. (**C**) 這則公告主要是關於什麼？

(A) 交朋友。

(B) 找工作。

(C) 義工工作。

(D) 對抗貧窮。

* poverty〔'pavətɪ〕*n.* 貧窮

170. (**D**) 葛萊免費餐點計畫的主要目的是什麼？

(A) 幫助人們找工作。

(B) 爲上班族父母提供日間拖兒。

(C) 教育人們關於貧窮的事。

(D) 給街友和窮人吃飯。

* ***day care*** 日間托兒

171. (**A**) 下列何者非義工被期待要做的事？

(A) 洗盤子。

(B) 將食物放在拖盤上。

(C) 將食物送給坐上賓客。

(D) 清理桌子。

172. (**A**) 公告建議什麼？

(A) 義工應該要穿舒服的衣服。

(B) 義工應該要提早一個小時抵達。

(C) 義工應該要有和街友工作的經驗。

(D) 義工應該要被差勁地對待。

* poorly〔'purlɪ〕*adv.* 差勁地；貶低地

根據下則社論，回答第 173 至 176 題。

太平洋煤電公司是一間長期以來用大衆健康和安全換取私人收入和利潤的公司。比起之前，這句話用來形容最近的情況更眞實，在一起位於聖布諾可避免的致命性爆炸案中，核能發電的惡夢、「智慧電網」的災難性影響衝擊整個加州社區的經濟。太平洋煤電公司正在大量毀滅我們的隱私、使國家安全陷入危險、損害我們的健康，和冒著致命火災的風險。現在，他們還厚著臉皮向我們收取「退會」費。

5 月 14 日，太平洋煤電公司的股東們將在舊金山市區的總部召開他們的年度會議，聆聽關於用我們的支出所換來的逐漸成長的營收(季成長 17%)。受夠了恐赫、威脅、勒索和弊端了嗎？加州，你還可以忍受多少？

是時候從公司的貪婪中奪回我們的權力了。是時候從太平洋煤電公司奪回我們的權力了。

在外面抗議並讓你的聲音被聽見——如果你是一位太平洋煤電公司的股東，請進去質詢管理部門該公司正在犯下的罪行。我們需要製造一點噪音。

** editorial〔ˌɛdəˈtorɪəl〕*n.* 社論　gas〔gæs〕*n.* 瓦斯
electric〔ɪˈlɛktrɪk〕*adj.* 電的
Pacific Gas and Electric (***PG&E***) 太平洋煤電公司
health〔hɛlθ〕*n.* 健康　private〔ˈpraɪvɪt〕*adj.* 私人的
profit〔ˈprɑfɪt〕*n.* 利潤
preventable〔prɪˈvɛntəbl̩〕*adj.* 可預防的
explosion〔ɪkˈsploʒən〕*n.* 爆炸
San Bruno 聖布諾【位於美國加州】
nightmarish〔ˈnaɪtˌmɛrɪʃ〕*adj.* 惡夢似的
risk〔rɪsk〕*n.* 危險　*v.* 使…陷入危險
nuclear〔ˈnjuklɪɚ〕*adj.* 核能的

catastrophic〔ˌkætəˈstrɑfɪk〕*adj.* 大災難的
smart grid 智慧電網　checkbook〔ˈtʃɛkˌbʊk〕*n.* 支票簿
decimate〔ˈdɛsəˌmet〕*v.* 大量毀滅　privacy〔ˈpraɪvəsɪ〕*n.* 隱私
damage〔ˈdæmɪdʒ〕*v.* 損害　nerve〔nɝv〕*n.* 厚臉皮
charge〔tʃɑrdʒ〕*v.* 索取　fee〔fi〕*n.* 費用
opt out 退出；不參加　shareholder〔ˈʃɛrˌholdɚ〕*n.* 股東
annual〔ˈænjʊəl〕*adj.* 年度的　downtown〔ˌdaʊnˈtaʊn〕*n.* 市中心
headquarter〔ˈhɛdˈkwɔrtɚ〕*n.* 總部

increasing〔ɪnˈkrisɪŋ〕*adj.* 逐漸增加的
expense〔ɪkˈspɛns〕*n.* 支出　quarterly〔ˈkwɔrtɚlɪ〕*adv.* 每季的
threat〔θrɛt〕*n.* 恐嚇　intimidation〔ɪnˌtɪməˈdeʃən〕*n.* 威脅
extortion〔ɪkˈstɔrʃən〕*n.* 勒索　abuse〔əˈbjuz〕*n.* 弊端
corporate〔ˈkɔrpərɪt〕*adj.* 公司的　greed〔grid〕*n.* 貪婪
protest〔ˈprotɛst〕*n.* 抗議　confront〔kənˈfrʌnt〕*v.* 質詢；面對
management〔ˈmænɪdʒmənt〕*n.* 管理部門
crime〔kraɪm〕*n.* 罪　commit〔kəˈmɪt〕*v.* 犯（罪）

173. (**B**) 這篇社論的主要目的是什麼？

(A) 引起暴動。　(B) <u>鼓勵抗議。</u>
(C) 尋求解決方案。　(D) 引起大衆騷動。

* objective〔əbˈdʒɛktɪv〕*n.* 目的　incite〔ɪnˈsaɪt〕*v.* 引起
riot〔ˈraɪət〕*n.* 暴動　solution〔səˈluʃən〕*n.* 解決
disturbance〔dɪˈstɝbəns〕*n.* 騷動

174. (**A**) 作者指控太平洋煤電公司什麼？

(A) <u>爲了利潤而使公共安全陷入危險。</u>
(B) 在夏季提高價格。
(C) 欺騙他們的股東。
(D) 製造太多噪音。

* accuse〔əˈkjuz〕*v.* 指控　sake〔sek〕*n.* 爲了…的原故
raise〔rez〕*v.* 提高　rate〔ret〕*n.* 價格
mislead〔mɪsˈlid〕*v.* 欺騙；使…誤入歧途
stockholder〔ˈstɑkˌholdɚ〕*n.* 股東

175. (**C**) 5月 14 日會發生什麼事？

(A) 城市的電力會被中斷。 (B) 電費會調漲。

(C) <u>股東將召開會議。</u> (D) 陪審團的裁決將出爐。

* electricity〔ɪˌlɛkˈtrɪsətɪ〕*n.* 電

jury〔ˈdʒurɪ〕*n.* 陪審團 verdict〔ˈvɝdɪkt〕*n.* 裁決

176. (**B**) 作者叫股東們做什麼？

(A) 賣掉他們的股票。 (B) <u>質詢管理部門。</u>

(C) 冷靜。 (D) 關閉電燈。

* share〔ʃɛr〕*n.* 持股 calm〔kɑm〕*adj.* 冷靜的

turn off 關閉

根據以下文章，回答第 177 至 180 題。

冬天是黑暗的、冷的，且昂貴的，至少若把讓房子升溫算進去會如此。暖氣油料的費用在每個冬季上漲，而電費不便宜。

每年各地的人們開始仔細思考省錢且讓房子保持舒服溫度的最佳方法。感謝的是，有很多種方法抑制暖氣支出，且大部份都很好實行。我們的提醒能夠幫你享受這個季節並對讓房子升溫這件事少操一點心。

很難知道能做什麼樣的改變讓你的帳單變便宜，但是只需一通電話的距離就可獲得幫忙。地方電力公司很高興評估你的需求、家庭生活方式，和能源使用模式。他們會檢查你家可以改善的地方。他們會勘查你家的電器、檢查房子的結構、並測量你的隔熱設備。一旦完成，他們會提供建議並協助實行必要的改變以達到更有效率的能源消耗。建議往往會與折扣誘因伴隨而來，這讓你減少支出。

** heating (hitɪŋ) *n.* 加熱；暖氣
concerned (kən'sɝnd) *adj.* 有關係的　oil (ɔɪl) *n.* 油
contemplate ('kɑntəm,plet) *v.* 仔細考慮
temperature ('tɛmpərətʃɚ) *n.* 氣溫
thankfully ('θæŋkfəlɪ) *adv.* 感謝地
curb (kɝb) *v.* 抑制　implement ('ɪmplə,mɛnt) *v.* 實行
tip (tɪp) *n.* 提醒　assess (ə'sɛs) *v.* 評估
lifestyle ('laɪf,staɪl) *n.* 生活方式
pattern ('pætɚn) *n.* 模式　survey (sɚ've) *v.* 勘查

appliance (ə'plaɪəns) *n.* (家庭的) 電器
inspect (ɪn'spɛkt) *v.* 檢查
structure ('strʌktʃɚ) *n.* 結構
measure ('mɛʒɚ) *v.* 測量
insulation (,ɪnsə'leʃən) *n.* 隔熱
efficient (ə'fɪʃənt) *adj.* 有效的
consumption (kən'sʌmpʃən) *n.* 消耗
often times 往往；常常　rebate ('ribet) *n.* 折扣
incentive (ɪn'sɛntɪv) *n.* 誘因　reduce (rɪ'djus) *v.* 減少

177. (**B**) 這篇文章主要關於什麼？

(A) 賺錢。
(B) 省錢。
(C) 買家庭用品。
(D) 在冬天的月份裡保持溫暖。

* household ('haʊs,hold) *adj.* 家庭的

178. (**B**) 地方電力公司如何幫忙？

(A) 透過冬天時降低價格。
(B) 透過檢查你的房子和提供意見。
(C) 透過讓電器能源使用更有效率。
(D) 透過改善你的房子結構。

179. (**A**) 本文暗示了什麼？

(A) 大部份的人很關心暖氣支出。

(B) 大部份的人不了解爲什麼暖氣支出在冬天提高。

(C) 幾乎沒有人知道節約能源的概念。

(D) 沒有人在乎能源開銷。

* conserve〔kən'sɝv〕*v.* 節約

180. (**D**) 作者接下來最可能談論什麼？

(A) 給你的家加防寒設備的方法。

(B) 組織你財務狀況的方法。　(C) 去除廢物的方法。

(D) 回收利用未使用的能源額度的方法。

* winterize〔'wɪntə,raɪz〕*v.* 給…加防寒設備
organize〔'ɔrgən,aɪz〕*v.* 組織；安排
finances〔'faɪnəsɪz〕*n. pl.* 財物狀況；財力
eliminate〔ɪ'lɪmə,net〕*v.* 除去　waste〔west〕*n.* 廢物
recycle〔ri'saɪkḷ〕*v.* 再利用　energy〔'ɛnədʒɪ〕*n.* 能源
credit〔'krɛdɪt〕*n.* 一筆錢；存入金額

請參考以下廣告與電子郵件，回答第 181 至 185 題。

世界人力銀行有限公司

最新列表

中文 + 英文流利 5 萬 2 千元 外加本行最頂尖的福利！有各式各樣的責任且具挑戰性的商業助理職務。可靠的人、有會計經驗。檔案編號 1231

波蘭語助理 5 萬 4 千元 外加良好的福利。投資公司董事長的個人助理。會操作電腦。英文必須流利。能夠使用捷克語、俄語，或匈牙利語。將處理董事日誌和安排預約及會議。檔案編號 942

法英雙語分公司經理 7 萬 6 千元 + 全套福利。在倫敦、巴黎和美國有據點的國際貿易公司尋找可靠的分公司經理。必須有速記訓練，管理經驗，且至少三年在國際環境的工作經驗。必須有進階的電腦能力。從英國外派並非必要但必須可以經常出差。檔案編號 1128

西班牙語計畫負責人 2 萬 7 千元。
尋找行政助理和計畫負責人。好好利用你的人際、專業和語言技巧。各式各樣的任務。母語程度流利的西班牙語和英語爲必要條件。檔案編號 861

請將履歷以電子郵件寄到 jobs_manpower@gmail.com
請加上檔案編號及相關資訊

收件人：< jobs_manpower@gmail.com >
寄件人：蓋瑞・邦克 < gee-bee@aol.com >
日期：4 月 4 日
主旨：檔案編號 1128

致相關人員：

我的名字是蓋瑞・邦克，我想要正式申請法英雙語分公司經理的職位。就如同你將在我的履歷中看到的（附於文件檔），我有廣泛的速記和國際貿易經驗，並曾擔任多間公司的管理職。在我的任職期間，我發展出優秀的寫作及編輯技巧，並設計與實行了多個部門層級的交流策略。

我很感謝你將我納入考慮，並期待在你方便的時候和你討論這個機會。

最誠摯的問候，
蓋瑞・邦克

** manpower〔ˈmæn,paʊɚ〕*n.* 人力資源
staffing〔ˈstæfɪŋ〕*n.* 人員配置
Inc. 有限公司（= *incorporated*）
listing〔ˈlɪstɪŋ〕*n.* 列表　fluency〔ˈfluənsɪ〕*n.* 流利
challenging〔ˈtʃælɪndʒɪŋ〕*adj.* 有挑戰性的
role〔rol〕*n.* 職務　assistant〔əˈsɪstənt〕*n.* 助理
varied〔ˈvɛrɪd〕*adj.* 各式各樣的　duty〔ˈdutɪ〕*n.* 責任
responsible〔rɪˈspɑnsəbl̩〕*adj.* 可靠的
accounting〔əˈkaʊntɪŋ〕*n.* 會計
Polish〔ˈpɑlɪʃ〕*adj.* 波蘭語的
PA 個人助理（= *personal assistant*）
director〔dəˈrɛktɚ〕*n.* 董事

investment〔ɪnˈvɛstmənt〕*n.* 投資　firm〔fɝm〕*n.* 公司
literate〔ˈlɪtərɪt〕*adj.* 會使用（電腦）的
fluent〔ˈfluənt〕*adj.* 流利的　Czech〔tʃɛk〕*n.* 捷克語
Hungarian〔hʌŋˈgɛrɪən〕*n.* 匈牙利語
diary〔ˈdaɪərɪ〕*n.* 日誌　bilingual〔baɪˈlɪŋgwəl〕*adj.* 雙語的
stenographic〔,stɛnəˈgræfɪk〕*n.* 速記
training〔ˈtrenɪŋ〕*n.* 訓練　minimum〔ˈmɪnəməm〕*n.* 最小
advanced〔ədˈvænst〕*adj.* 進階的
relocation〔rɪˈlokeʃən〕*n.* 外派；遷往他處
frequent〔ˈfrikwənt〕*adj.* 頻繁的
administrative〔ədˈmɪnə,stretɪv〕*adj.* 行政的

manager〔ˈmænɪdʒɚ〕*n.* 負責人
make best use of 好好利用
interpersonal〔,ɪntɚˈpɝsənl̩〕*adj.* 人際的
professional〔prəˈfɛʃənl̩〕*adj.* 專業的
linguistic〔lɪŋˈgwɪstɪk〕*adj.* 語言的
task〔tæsk〕*n.* 任務　***mother-tongue*** 母語
necessary〔ˈnɛsə,sɛrɪ〕*adj.* 必要的　***C.V.*** 履歷
correspondence〔,kɔrəˈspɑndəns〕*n.* 對應；符合
formally〔ˈfɔrml̩ɪ〕*adv.* 正式地　***apply for*** 申請
extensive〔ɪkˈstɛnsɪv〕*adj.* 廣泛的

managerial (ˌmænəˈdʒɪrɪəl) *adj.* 管理的
corporation (ˌkɔrpəˈreʃən) *n.* 公司
tenure (ˈtɛnjɚ) *n.* 任職期間
exceptional (ɪkˈsɛpʃənḷ) *adj.* 優秀的
design (dɪˈzaɪn) *v.* 設計 strategy (ˈstrætədʒɪ) *n.* 策略
appreciate (əˈpriʃɪˌet) *v.* 感謝
consideration (kənˌsɪdəˈreʃən) *n.* 考慮 ***look forward*** 期待
at your convenience 在你方便的時候
best regards 最誠摯的問候

181. (**A**) 世界人力銀行有限公司是什麼？
- (A) 一間職業介紹所。
- (B) 一間不動產仲介。
- (C) 一間經紀公司。
- (D) 一間模特兒經紀公司。

* ***real estate*** 不動產 talent (ˈtælənt) *n.* 才能
talent agency 經紀公司 modeling (ˈmɑdḷɪŋ) *n.* 模特兒

182. (**A**) 蓋瑞・邦克對哪個職務有興趣？
- (A) 檔案編號 1128。
- (B) 西班牙語個人助理。
- (C) 世界人力銀行。 (D) 計畫負責人。

183. (**B**) 蓋瑞・邦克可能會說什麼語言？
- (A) 中文和英語。 (B) 法語和英語。
- (C) 波蘭語和捷克語。
- (D) 俄語和西班牙語。

184. (**C**) 人們怎麼回覆列表上的其中一項訊息？
- (A) 透過打電話給雇主。
- (B) 到辦公室。 (C) 寄電子郵件。
- (D) 直接連絡代理人。

* agent (ˈedʒənt) *n.* 代理人

185. (**C**) 蓋瑞・邦克在他的電子郵件裡附上了什麼？

(A) 凱蒂貓郵票。

(B) 他的駕照影本。

(C) 他的履歷。

(D) 他的薪資單。

* ***Hello Kitty*** 凱蒂貓　sticker (ˈstɪkɚ) *n.* 郵票
license (ˈlaɪsn̩s) *n.* 執照
statement (ˈstetmənt) *n.* 報告單

根據下面兩篇文章的內容，回答第 186 至 190 題。

星期一我寫了一篇故事討論智慧型手機潛在地讓我們成爲「超人」。文章的回覆者確實是不喜歡這個措辭。「智慧型手機也讓我們變得超級智障，」一個稱爲前衛科技者的人寫到。「只要看某個後坐有小孩的人在輸入『大笑、什麼』然後闖紅燈。」很有道理。這個保持連結的社會裡，在所有的好處中——其一便是電話讓鄉村地區得到那些他們之前沒辦法取得的資訊，或是至少將醫療專家帶來這個很難到達的地方——好處裡還是也有許多的缺點。

** argue (ˈɑrgju) *v.* 討論
smartphone (ˈsmɑrt,fon) *n.* 智慧型手機
potential (pəˈtɛnʃəl) *adj.* 潛在的
superhuman (,supɚˈhjumən) *adj.* 超人的
commenter (ˈkɑmɛntɚ) *n.* 回覆者；評論者
phrasing (ˈfrezɪŋ) *n.* 措辭　edgy (ˈɛdʒɪ) *adj.* 前衛的
backseat (ˈbæksit) *n.* 後座　***lol*** 大笑 (= *laugh out loud*)
wut 什麼 (= *what*)　***run red light*** 闖紅燈
fair (fɛr) *adj.* 公平的　rural (ˈrʊrəl) *adj.* 鄉下的
access (ˈæksɛs) *n.* 取得　professional (prəˈfɛʃənl̩) *n.* 專家
virtually (ˈvɝtʃuəlɪ) *adv.* 幾乎
difficult-to-reach 難以到達的　drawback (ˈdrɔ,bæk) *n.* 缺點

根據美國交通部，2010 年在美國有超過 3,000 人死於不專心開車所導致的車禍，這包含了傳簡訊和使用電話。而根據報導，十起車禍裡有多於一起車禍裡面是 20 歲以下的人不專心開車。

** crash〔kræʃ〕*n.* 車禍　involve〔ɪnˈvɑlv〕*v.* 涉及
distracted〔dɪˈstræktɪd〕*adj.* 分心的　fatal〔ˈfetl̩〕*adj.* 致命的
report〔rɪˈport〕*v.* 報導

186. (**B**) 在哪方面這兩篇文章有最明顯地差異？
(A) 題目。　(B) 長度。
(C) 字彙。　(D) 主題內容。
* matter〔ˈmætɚ〕*n.* 內容

187. (**B**) 兩篇文章在哪方面相似？
(A) 它們有相同的意見。
(B) 它們在討論相同的主題。
(C) 它們在責備同樣的人。
(D) 都不是依據事實。
* similar〔ˈsɪmələ˞〕*adj.* 相似的
opinion〔əˈpɪnjən〕*n.* 意見
blame〔blem〕*v.* 責備　***base on*** 依據

188. (**D**) 根據第一篇文章，關於智慧型手機何者爲眞？
(A) 他們讓人們更聰明。
(B) 他們引起交通事故。
(C) 他們毀了交通。
(D) 他們有正面和負面的用途。
* traffic〔ˈtræfɪk〕*n.* 交通
accident〔ˈæksədənt〕*n.* 事故　ruin〔ˈruɪn〕*n.* 毀滅
communication〔kəˈmjunəˈkeʃən〕*n.* 交通；通信
negative〔ˈnɛgətɪv〕*adj.* 負面的　use〔juz〕*n.* 用途

189. (**D**) 第一篇文章依據什麼？

(A) 歷史資料。　(B) 智慧型手機銷售數字。
(C) 電腦模型。　(D) <u>意見。</u>

* historical〔hɪsˈtɔrɪkl̩〕*adj.* 歷史的
data〔ˈdetə〕*n. pl.* 資料　figure〔ˈfɪgjɚ〕*n.* 數字

190. (**B**) 第二篇文章依據什麼？

(A) 全球調查的結果。
(B) <u>美國交通部的資料。</u>
(C) 警察報告。　(D) 謠言和影射。

* global〔ˈglobl̩〕*adj.* 全球的　rumor〔ˈrumɚ〕*n.* 謠言
innuendo〔ˌɪnjʊˈɛndo〕*n.* 影射；諷刺

根據下面的信件與回覆，回答第 191 至 195 題。

親愛的很幫忙的海倫：

自我有記憶以來，我一直都被較年長的男性所吸引。甚至在五年級時，當其他的女孩在討論男生樂團的男孩時，我在對哈里遜・福特和史恩・康納萊產生幻想。自從那時開始，幾乎所有領導階層的男性（教練、老師、老闆）都是幻想的來源。不瞞你說我讓幾個幻想在現實生活中付諸行動。我父親是個好爸爸，在感情上支持我，所以我沒有「戀父情結」。我快樂地結婚，希望婚姻能爲此畫下句點。但是我發現我又對現在的良師產生幻想。我們在一起工作了兩年，他沒有做過任何不合宜的事。我想要能夠和男士們以同事的身份互動，而不是在開會時和休息時間在我的腦海裡不斷地上演的猥褻對話。我曾嘗試和我的丈夫討論這個「問題」，但是他以玩笑回答並看起來很不感興趣。

－佛羅里達的幻想

** attract〔ə'trækt〕*v.* 吸引
significantly〔sɪg'nɪfəkəntlɪ〕*adv.* 顯著地
band〔bæn〕*n.* 樂團　fantasize〔'fæntə,saɪz〕*v.* 幻想
leadership〔'lidɚ,ʃɪp〕*n.* 領導階層　coach〔kotʃ〕*n.* 教練
source〔sors〕*n.* 來源　fantasy〔'fæntəsɪ〕*n.* 幻想
act out 把…付諸行動
emotionally〔ɪ'moʃənl̩ɪ〕*adv.* 感情上地
supportive〔sə'portɪv〕*adj.* 支持的

issue〔'ɪʃu〕*n.* 問題　***daddy issue*** 戀父情結
mentor〔'mɛntɚ〕*n.* 良師
untoward〔ʌn'tord〕*adj.* 不合宜的
interact〔,ɪntɚ'ækt〕*v.* 互動　colleague〔'kɑlig〕*n.* 同僚
constantly〔'kɑnstəntlɪ〕*adv.* 不斷地
racy〔'resɪ〕*adj.* 猥褻的　break〔brek〕*n.* 休息
coffee break 休息時間
uninterested〔ʌn'ɪntərɪstɪd〕*adj.* 不感興趣的

親愛的幻想，

當我九歲時的那個聖誕夜，我的家人帶我去看「007 金手指」，而我在坐位上發愣到演員名單出現，因為我必須看到我現在所愛的那個男人的名字。大約在 25 年後，我在洛杉磯一棟辦公大樓的大廳匆忙前進，當時我真地撞上了史恩・康納萊。他說，「抱歉，」用蘇格蘭粗厚的口音輕輕說，我抬頭看並大叫，「我的天啊！」當我的雙膝彎曲時，他寬容地對我微笑。所以我了解妳對年長男性的著迷，但是它不必佔據妳的人生。妳和一些年長者有曖昧關係，但是當要結婚時，選擇一個和妳同年齡的人。他對妳的著迷一笑置之或許是最好的辦法。

改變妳對自己的態度，而不是試著想把慾望驅離妳的大腦。妳對妳的良師曾有段兩年的快樂幻想，而妳不曾付諸任何行動。

沒有任何事需要責備自己。如果妳發現妳想年長男性的時間已經太超過時，試試「正念」。這個技巧應該可以幫你學會與此感覺共存而不成爲它的奴隸。接受我們的情況沒有治療法的事實，但是時間也可以很有療效。我曾經對亞伯特・芬尼著迷，而我在懷舊時仍然還是，但是那些我曾經幻想過的瀟灑年長男性們，大部份的人現在都在試著解理醫療保險 D 計畫。

** stun〔 stʌn 〕*v.* 發愣　credit〔ˈkrɛdɪt 〕*n.* 演員名單
roll〔 rol 〕*v.* 捲動；滾進　rush〔 rʌʃ 〕*v.* 匆忙地前進
literally〔ˈlɪtərəlɪ 〕*adv.* 眞正地　***bump into*** 撞上；無意中遇到
softly〔 sɔftlɪ 〕*adv.* 輕輕地　Scottish〔ˈskɑtɪʃ 〕*adj.* 蘇格蘭的
burr〔 bɝ 〕*n.* 粗喉音　exclaim〔 ɪkˈsklem 〕*v.* 大叫
indulgently〔 ɪnˈdʌldʒəntlɪ 〕*adv.* 寬容地　knee〔 ni 〕*n.* 膝
buckle〔ˈbʌkḷ 〕*v.* 使彎曲　attraction〔 əˈtrækʃən 〕*n.* 吸引
run〔 rʌn 〕*v.* 變得；經營　affair〔 əˈfɛr 〕*n.* 曖昧關係；外遇

contemporary〔 kənˈtɛmpəˌrɛrɪ 〕*n.* 年齡相仿的人
laugh off 對…一笑置之　obsession〔 əbˈsɛʃən 〕*n.* 著迷
drive out 驅離　desire〔 dɪˈzaɪr 〕*n.* 慾望
attitude〔ˈætəˌtjud 〕*n.* 態度　pleasurable〔ˈplɛʒərəbḷ 〕*adj.* 快樂的
act on 按照…行事　***beat** oneself **up*** 責備自己
take up 佔用（時間、地方）　explore〔 ɪkˈsplor 〕*v.* 探討
mindfulness〔ˈmaɪndfəlnɪs 〕*n.* 正念【透過內心觀察本身的知覺來了解自己】　technique〔 tɛkˈnik 〕*n.* 技巧
coexist〔ˈkoɪgˈzɪst 〕*v.* 共存　slave〔 slev 〕*n.* 奴隸

accept〔 əkˈsɛpt 〕*v.* 接受　cure〔 kjʊr 〕*n.* 治療方法
wonderfully〔ˈwʌndəfəlɪ 〕*adv.* 極好地
therapeutic〔ˌθɛrəˈpjutɪk 〕*adj.* 有療效的
nostalgic〔 nɑˈstældʒɪk 〕*adj.* 懷舊的
dashing〔ˈdæʃɪŋ 〕*adj.* 瀟灑的　fancy〔ˈfænsɪ 〕*v.* 幻想
figure out 試著理解
Medicare Part D 醫療保險 D 計畫【美國聯邦政府醫療照顧處方福利保險的一種方案】

191. (**C**) 佛羅里達的幻想的主要問題是什麼？

(A) 她的丈夫外遇。

(B) 她的婚姻面臨破碎。

(C) 她的幻想妨礙她的生活。

(D) 她的良師想要殺死她。

* ***fall apart*** 變爲碎塊；結果失敗
interfere〔ˌɪntəˈfɪr〕*v.* 妨礙

192. (**D**) 當她試著要和她的丈夫討論問題時，發生了什麼事？

(A) 他要求離婚。

(B) 他答應要快點變老。

(C) 他發了脾氣。

(D) 他似乎沒興趣。

* divorce〔dəˈvɔrs〕*n.* 離婚
promise〔ˈprɑmɪs〕*v.* 答應　　age〔edʒ〕*v.* 變老
threw a temper tantrum 發脾氣
temper〔ˈtɛmpɚ〕*n.* 情緒
tantrum〔ˈtæntrəm〕*n.* 發脾氣

193. (**A**) 佛羅里達的幻想想要做什麼？

(A) 和男同事們有正常的關係。

(B) 去除她對年長男士的吸引力。

(C) 說服她的丈夫去找個情婦。

(D) 和她的良師有親密的關係。

* eliminate〔ɪˈlɪməˌnet〕*v.* 去除
convince〔kənˈvɪns〕*v.* 說服
lover〔ˈlʌvɚ〕*n.* 情婦（夫）
intimately〔ˈɪntəmɪtlɪ〕*adv.* 親密地
involved〔ɪnˈvɑlvd〕*adj.* 有關係的

194. (**C**) 很幫忙的海倫建議的主旨是什麼？

(A) 責備自己。　　(B) 努力爭取。
(C) 改變妳的態度。　　(D) 迫使他人接受問題。

* gist〔dʒɪst〕*n.* 主旨　***Go for it***. 努力爭取。；大膽一試。
force〔fors〕*v.* 迫使接受…

195. (**A**) 很幫忙的海倫如何同情佛羅里達的幻想？

(A) 她說她也受年長男士的吸引。
(B) 她透露她也處於一個無愛情的婚姻。
(C) 她說她也喜歡編織。
(D) 她聲稱她知道被虐待的感覺。

* empathize〔'ɛmpə,θaɪz〕*v.* 同情
reveal〔rɪ'vil〕*v.* 透露　loveless〔'lʌvlɪs〕*adj.* 無愛情的
knit〔nɪt〕*v.* 編織　abuse〔ə'bjuz〕*v.* 虐待

根據以下的電子郵件，回答第 196 至 200 題。

收件者：雪琳・夏普
寄件者：文斯・費加洛
日期：2013 年 12 月 8 日
主旨：電腦問題

雪琳：

我知道你們資訊部門的人很忙，但是我希望妳可以在幾小時內派人來看看我的電腦。我的防火牆有漏洞，儘管使用了你上週安裝的軟體，有許多病毒還是無法刪除。發生了什麼事？我以爲你們這週有做安全檢查？我現在在進行米勒的計畫，不能冒著損失任何資料的風險，所以我不敢使用或甚至關閉電腦——尤其是在西門那天發生了那件事之後。無論如何，如果你想要的話我可以寄一份錯誤報告的影本給你。謝謝。

收件者：文斯・費加洛
寄件者：雪琳・夏普
日期：2013 年 12 月 8 日
主旨：回覆：電腦問題

文斯：

我了解情況的緊急性，我會在一個小時內派工程師過去，很有可能是吉姆・湯普森。不幸的是，你的問題並非唯一，有許多公司裡的主管也有相同的問題。我的猜測是在安全測試時弄錯了一些地方。同時，請繼續將錯誤報告儘快寄給我，這樣我就可以把它交給吉姆。最後一件事：無論你做什麼，在我們的工程師抵達前，請不要把電腦重新開機。

** ***IT*** 資訊部門（= *information technology*）
take a look 看看；看一眼　breach〔britʃ〕*n.* 漏洞
firewall〔ˈfaɪrwɔl〕*n.* 防火牆　*v.* 突破（城牆）
virus〔ˈvaɪrəs〕*n.* 病毒　security〔sɪˈkjurətɪ〕*n.* 安全
in the middle of 正在進行…
shut down 關閉　error〔ˈɛrɚ〕*n.* 錯誤
urgency〔ˈɝdʒənsɪ〕*n.* 緊急性
tech〔tɛk〕*n.* 工程師（= *technician*）
unfortunately〔ʌnˈfɔrtʃənɪtlɪ〕*adv.* 不幸地
unique〔juˈnik〕*adj.* 唯一的
admin〔ədˈmɪn〕*n.* 主管（= *administrator*）
go wrong 弄錯　***go ahead*** 繼續
ASAP 儘快（= *as soon as possible*）　***pass along*** 交給
re-boot〔ˌriˈbut〕*v.* 重新開機　***show up*** 出現

196. (**B**) 文斯的電腦有什麼問題？

(A) 它無法重新開機。 (B) 它中毒了。
(C) 它跑地非常慢。 (D) 它沒有顏色。

197. (**A**) 文斯害怕做什麼？

(A) 使用電腦。
(B) 列印錯誤報告。
(C) 麻煩資訊部門的人。
(D) 完成米勒的計畫。

198. (**C**) 誰最有可能解決問題？

(A) 雪琳。 (B) 文斯。
(C) 吉姆。 (D) 西門。

* address〔ə'drɛs〕*v.* 處理

199. (**C**) 西門的什麼事情被暗示了？

(A) 他突破了防火牆。
(B) 他搞砸了安全測試。
(C) 他上週損失了一些資料。
(D) 他輕易地解決了問題。

* ***mess up*** 搞砸　***with ease*** 輕易地

200. (**B**) 文斯接下來最有可能做什麼？

(A) 重新開啓他的電腦。
(B) 跑出錯誤報告。
(C) 打電話給吉姆。
(D) 備份他的資料。

* ***back up*** 備份

New TOEIC Speaking Test 詳解

Question 1: Read a Text Aloud

 題目解說 （Track 2-05）

忘掉加薪和大筆獎金，有更簡單和便宜的方法讓你的員工開心。從提供福利到讓他們彈性上班，公司可以找到一些有創意的方法，來讓員工開心和有生產力。

** raise〔 rez 〕*n.* 加薪　bonus〔ˈbonəs 〕*n.* 獎金
simple〔ˈsɪmpl̩ 〕*adj.* 簡單的　cheap〔 tʃip 〕*adj.* 便宜的
employee〔ˌɛmplɔɪˈi 〕*n.* 員工　offer〔ˈɔfɚ 〕*v.* 提供
benefits〔ˈbɛnəfɪts 〕*n. pl.* 津貼；獎金；福利
flexibility〔ˌflɛksəˈbɪlətɪ 〕*n.* 彈性　***a number of*** 一些
creative〔 krɪˈetɪv 〕*adj.* 有創意的
productive〔 prəˈdʌktɪv 〕*adj.* 有生產力的

Question 2: Read a Text Aloud

 題目解說 （Track 2-05）

美國人平均每天大約喝兩罐汽水。伴隨喝飲料而來的副作用可能會傷害你的健康一從腎臟問題到在你的腰圍增加幾吋。遺憾的是，汽水比以前還受歡迎。根據美國臨床營養學期刊裡的研究，小孩子喝這飲料的比例是過去十年的兩倍多。在成人之中，喝汽水量已經增加將近百分之二十五左右。

** average〔ˈævərɪdʒ 〕*adj.* 平均的；一般的　can〔 kæn 〕*n.* 罐
soda〔ˈsodə 〕*n.* 汽水　beverage〔ˈbɛvərɪdʒ 〕*n.* 飲料
come with 伴隨…而來　***a set of*** 一套；一組
side effect 副作用　harm〔 hɑrm 〕*v.* 傷害
kidney〔ˈkɪdnɪ 〕*n.* 腎臟　add〔 æd 〕*v.* 增加

add A to B 把 A 加到 B　inch〔ɪntʃ〕*n.* 吋
waistline〔ˈwestˌlaɪn〕*n.* 腰圍
unfortunately〔ʌnˈfɔrtʃənɪtlɪ〕*adv.* 不幸的是；遺憾的是
than ever 比以前　consume〔kənˈsum〕*v.* 將…喝完
stuff〔stʌf〕*n.* 東西；飲料　double〔ˈdʌbl̩〕*adj.* 兩倍的
rate〔ret〕*n.* 比例　decade〔ˈdɛked〕*n.* 十年
research〔ˈrisɝtʃ〕*n.* 研究　journal〔ˈdʒɝnl̩〕*n.* 期刊
clinical nutrition 臨床營養學　adult〔əˈdʌlt〕*n.* 成人
consumption〔kənˈsʌmpʃən〕*n.* 消耗量　grow〔gro〕*v.* 增加

Question 3: Describe a Picture

 必背答題範例

 中文翻譯 （**Track 2-06**）

這是一個海灘。
有許多的人在海灘上。
有各年齡層的人。

這顯然是在白天。
陽光閃耀，而且天空晴朗。
看起來是個美好的一天。

一些在海灘上的人們有陽傘。
其它人搭起了帳篷。
還有其它人在曬太陽。

也有一些人在水裡。
一些人在衝浪。
其它人似乎在游泳。

水面似乎非常風平浪靜。
沒有海浪。
看起來非常平靜。

有一位救生員在值班。
現場有一台救護車。
每個人都感到安全來享受他們在海灘的一天。

** ______________________________

beach〔bitʃ〕*n.* 海灘　clearly〔ˈklɪrlɪ〕*adv.* 顯然地
daytime〔ˈdeˌtaɪm〕*n.* 白天　shine〔ʃaɪn〕*v.* 照耀
clear〔klɪr〕*adj.* 晴朗的　***set up*** 搭建
sun〔sʌn〕*v.* 曬太陽；做日光浴　surf〔sɝf〕*v.* 衝浪
appear〔əˈpɪr〕*v.* 似乎；好像
calm〔kɑm〕*adj.* 風平浪靜的　wave〔wev〕*n.* 海浪
peaceful〔ˈpisfəl〕*adj.* 平靜的；寧靜的
lifeguard〔ˈlaɪfˌgɑrd〕*n.* 救生員
on duty 值班　rescue〔ˈrɛskju〕*adj.* 救援的
vehicle〔ˈviɪkl̩〕*n.* 車輛　scene〔sin〕*n.* 現場

Questions 4-6: Respond to Questions

必背答題範例　(Track 2-06)

想像你正在參與一項關於你的財務狀況的調查研究。你已經同意在電話訪談中回答幾個問題。

Q4: 在 1 到 10 等級上，你會如何為你目前的財務狀況評分？

A4: 我會給七分。
情況可以更好。
但它們也可以更糟。

Q5: 你曾經使用過財務顧問的服務嗎？

A5: 是的，我使用過財務顧問的服務。
我現在的顧問是在哈里斯銀行的法蘭克・勒布。
法蘭克已經處理我的有價證券五年了。

Q6: 你在做什麼來確保你的長期財務安全？

A6: 嗯，我在做幾件事情。
首先，我不花比我賺得還多。
許多人過著入不敷出的生活。

再者，我對儲蓄很有紀律。
我每個月存收入的百分之十。
這件事我已經做了將近十年。

最後，我相對地保守。
我大部份的投資都非常安全且乏味。
它們帶來低收益但是提供長期的保障。

** ——————————————

imagine〔ɪ'mædʒɪn〕*v.* 想像
participate〔pɑr'tɪsə,pet〕*v.* 參與
research〔'risɝtʃ〕*n.* 調查　study〔'stʌdɪ〕*n.* 研究
finances〔fə'nænsɪs〕*n. pl.* 財務狀況
interview〔'ɪntɚ,vju〕*n.* 訪談　scale〔skel〕*n.* 等級
rate〔ret〕*v.* 評分　current〔'kɝənt〕*adj.* 目前的；現在的
financial〔fə'nænʃəl〕*adj.* 財務的
situation〔,sɪtʃu'eʃən〕*n.* 情況
advisor〔əd'vaɪzɚ〕*n.* 顧問　handle〔'hændḷ〕*v.* 處理
portfolio〔port'folɪ,o〕*n.* 有價證券

ensure〔ɪn'ʃur〕*v.* 確保　long-term〔'lɔŋ,tɝm〕*adj.* 長期的
security〔sɪ'kjurətɪ〕*n.* 安全；保障
means〔minz〕*n. pl.* 收入　***live above** one's **means*** 入不敷出
discipline〔'dɪsəplɪn〕*v.* 使有紀律
income〔'ɪn,kʌm〕*n.* 收入
relatively〔'rɛlətɪvlɪ〕*adv.* 相對地
conservative〔kən'sɝvətɪv〕*adj.* 保守的
investment〔ɪn'vɛstmənt〕*n.* 投資
return〔rɪ'tɝn〕*n.* 收益；利潤　offer〔'ɔfɚ〕*v.* 提供

Questions 7-9: Respond to Questions Using Information Provided

 題目解說

【中文翻譯】

<table>
<tr><td colspan="2">新罕布夏州區域旅遊及觀光業發展的
觀光發展套件

如何發展成功的旅遊計畫
合作以吸引觀光客</td></tr>
<tr><td>學習如何和其他公司及組織合作以銷售你們集體的資產，並促銷一種「經驗」——創造多重目的地吸引力，來吸引付費旅客！

10 月 17 日星期三
9:00 到中午
新州霍登內橋街（175 街）
普利茅斯州立大學
薩維吉歡迎中心</td><td>主題將包含：
・創造與分享吸引人的旅遊計畫
・建立合作
・潛在的資金來源
・利用社群媒體

此研討會將利用路線 3 穿越之旅來做爲案例研究，以說明過程。路線 3 穿越之旅是個旅遊計畫，設計成連結 1950 年代/1960 年代的汽車旅館房地產到當代特有的食物建築和吸引物，創造一個完整的「穿越」經驗。

這個研討會免費，但是須預先註冊。
馬克・歐克蘭博士・(603) 535-2364
mokrant@plymouth.edu</td></tr>
<tr><td colspan="2">合作夥伴
新州區域旅遊與觀光業發展及普大的農村合作中心</td></tr>
</table>

【背景敘述】

你好，我是保羅。我打來談關於旅遊計畫研討會。你會介意我問幾個問題嗎？

** New Hampshire (ˌnju'hæmpʃɚ) *n.* 新罕布夏州
division (də'vɪʒən) *n.* 區域　travel ('trævḷ) *n.* 旅遊
tourism ('tʊrɪzəm) *n.* 觀光業
development (dɪ'vɛləpmənt) *n.* 發展　toolkit ('tulˌkɪt) *n.* 工具組
develop (dɪ'vɛləp) *v.* 發展　successful (sək'sɛsfəl) *v.* 成功的
itinerary (aɪ'tɪnəˌrɛrɪ) *n.* 旅遊計畫
collaborate (kə'læbəˌret) *v.* 合作　attract (ə'trækt) *v.* 吸引
visitor ('vɪzɪtɚ) *n.* 觀光客　business ('bɪznɪs) *n.* 公司；企業
organization (ˌɔrgənə'zeʃən) *n.* 組織　market ('mɑrkɪt) *v.* 銷售

collective (kə'lɛktɪv) *adj.* 集體的　asset ('æsɛt) *n.* 資產
promote (prə'mot) *v.* 促銷
multi-destination (mʌltɪˌdɛstə'neʃən) *n.* 多重目的地
attraction (ə'trækʃən) *n.* 誘惑　attract (ə'trækt) *v.* 吸引
paying guests 付費旅客　appealing (ə'pilɪŋ) *adj.* 有魅力的
collaboration (kəˌlæbə'reʃən) *n.* 合作
potential (pə'tɛnʃəl) *adj.* 潛在的　funding ('fʌndɪŋ) *n.* 資金
source (sors) *n.* 來源　workshop ('wɝkˌʃɑp) *n.* 研討會
retrotour (ˌrɛtro'tʊr) *n.* 穿越之旅　illustrate ('ɪləstret) *v.* 說明
process ('prɑsɛs) *n.* 過程　design (dɪ'zaɪn) *v.* 設計

motel (mo'tɛl) *n.* 汽車旅館　property ('prɑpɚtɪ) *n.* 房地產
period-specific ('pɪrɪəd spɪ'sɪfɪk) *adj.* 某一時代特有的
establishment (ə'stæblɪʃmənt) *n.* 建築
attraction (ə'trækʃən) *n.* 吸引物
complete (kəm'plit) *adj.* 完整的
retro (rɛtro) *adj.* 穿越的；回溯的
pre-registration (prɪˌrɛdʒɪ'streʃən) *n.* 預先註册
required (rɪ'kwaɪrd) *adj.* 必須的　rural ('rʊrəl) *adj.* 鄉村的
partnership ('pɑrtnɚˌʃɪp) *n.* 合作關係

必背答題範例 （Track 2-06）

Q7: 研討會會在什麼時候及哪裡舉辦？

A7: 研討會會在 10 月 17 日星期三舉辦，從早上 9:00 到中午。
它會在普利茅斯州立大學的校園舉辦。
它會在薩維吉歡迎中心舉辦。

Q8: 參加研討會需要任何花費嗎？

A8: 研討會是免費的。
然而，必須預先註册。
如果你想要的話，我們可以現在立刻爲你註册。

Q9: 會包含什麼主題？

A9: 首先，我們會談論關於如何創造吸引人的旅遊計畫。
我們也會讓你看如何使你的旅遊計畫有魅力。
我們也會讓你看如何與別人分享旅遊計畫。

其次，我們會談論合作。
和別人合作會增加你的成功機率。
我們會將那些與你有同樣眼光的人介紹給你。

最後，我們會探討社群媒體。
網路有好的方面也有壞的方面。
我們會幫你了解如何使用社群媒體讓你受惠。

** ———————————

be held on 在…舉辦　***take place in*** 在…舉辦
sign up 註册　cover〔ˈkʌvɚ〕*v.* 包含
inviting〔ɪnˈvaɪtɪŋ〕*adj.* 吸引人的
introduce〔ˌɪntrəˈdjus〕*v.* 介紹
vision〔ˈvɪʒən〕*n.* 眼光；視野　explore〔ɪkˈsplor〕*v.* 探討
aspect〔ˈæspɛkt〕*n.* 方面　***figure out*** 了解

Question 10: Propose a Solution

 題目解說

【語音留言】

嗨，派翠西亞，我是崔維斯。我的車子在進公司的路上拋錨了，所以我現在坐在 I-94 路上，等待三輓到來並把車拖去給修理工。所以，顯然我需要妳爲我做一些行程的改變。首先，我需要取消我九點和羅尹・海利的會議。看看我是否可以重新安排它到下週上旬。接著，我需要妳打電話給咪咪・高梅，把 10:30 的預約移到 11:30。我和普斯頓・摩根在 12:30 到時時樂一起用午餐，但是我沒辦法準時到那裡，所以我需要把它移到洛杉磯咖啡館。可以請妳取消時時樂的預約並在洛杉磯咖啡館做預約嗎？另外，打電話給普斯頓並告訴他我可能會遲到幾分鐘。謝謝妳，派翠西亞。我希望能在 11:15 左右進公司。如果我的老婆打電話來，告訴她我會在下午回電話給她。

** ***break down*** 拋錨　　tow〔to〕*v.* 拖（車）
mechanic〔məˈkænɪk〕*n.* 修理工
obviously〔ˈɑbvɪəslɪ〕*adv.* 顯然
reschedule〔riˈskɛdʒul〕*v.* 重新安排時間
appointment〔əˈpɔɪntmənt〕*n.* 預約
on time 準時　　café〔kəˈfe〕*n.* 咖啡館
reservation〔ˌrɛzəˈveʃən〕*n.* 預約
phone〔fon〕*v.* 打電話

 必背答題範例 （Track 2-06）

 中文翻譯

嗨，崔維斯。
很遺憾聽到車子問題。
我希望所有的事都解決了。

你一說你的車子拋錨，我就知道怎麼做了。
你甚至可能會說我立刻行動。
我做你的後盾，崔維斯。

我打了電話給羅尹・海利。
他說沒問題。
我們重新安排時間至下週二的九點。

接著，我連絡了咪咪・高梅。
結果反正她遲到了。
所以 11:30 對她來說也不是個問題。

處理普斯頓和午餐有點棘手。
時時樂說他們可以保留預約到 1:00。
普斯頓先生說他比較想要在時時樂用午餐。

所以，你還是會在時時樂用午餐。
普斯頓會提早抵達保留座位。
屆時那裡見面。

** ——————————

work out 解決　***as soon as*** 一…就…
spring into action 立刻行動　***get one's back*** 做某人的後盾
get in touch with 連絡；打電話　***turn out*** 結果
run late 遲到　tricky〔ˈtrɪkɪ〕*adj.* 棘手的

Question 11: Express an Opinion

 題目解說

> 在一些國家，青少年在他們仍在讀書時便有工作。你認爲這是個好主意嗎？用明確的理由和細節來支持你的意見。

** teenager〔ˈtinˌedʒɚ〕*n.* 十幾歲的青少年
specific〔spɪˈsɪfɪk〕*adj.* 明確的
detail〔ˈditel〕*n.* 細節

 必背答題範例 （ **Track 2-06** ）

 中文翻譯

我想學生有工作是個好主意。
這教導他們努力工作的價值。
這給他們金錢的經驗。

事實上，學生需要專注於他們的課業。
他們的教育是他們一生之中最重要的事情。
他們的未來仰賴於此。

然而，教育不只有在課本裡尋找。
許多珍貴的課是在叫做「人生」的課堂上被教授。
裡面其中的一門課包含了工作的概念。

擁有工作讓你有責任感。
它也給你成就感。
你的獎賞就是在一週結束後的薪資支票。

因此，擁有一份工作是一個發展紀律的好方法。
做工作是非常平凡的。
你要麼就是爲之，要麼就是不爲之。

總之，我認爲所有的學生應該都要有工作。
每週只要幾小時會對他們很好。
而最好的部份是在你的銀行有一些額外的錢。

** ___________________________

value〔ˈvælju〕*n.* 價值
concentrate〔ˈkɑnsn̩ˌtret〕*v.* 專注
valuable〔ˈvæljəbl̩〕*adj.* 珍貴的
contain〔kənˈten〕*v.* 包含　sense〔sɛns〕*n.* 感覺
responsibility〔rɪˌspɑnsəˈbɪlətɪ〕*n.* 責任
accomplishment〔əˈkɑmplɪʃmənt〕*n.* 成就；完成
reward〔rɪˈwɔrd〕*n.* 獎賞
paycheck〔ˈpeˌtʃɛk〕*n.* 薪資支票
discipline〔ˈdɪsəplɪn〕*n.* 紀律
cut and dried 平凡的　***either…or…*** 要麼…要麼…
extra〔ˈɛkstrə〕*adj.* 額外的
bucks〔bʌks〕*n. pl.* 錢；元

New TOEIC Writing Test 詳解

Questions 1-5: Write a Sentence Based on a Picture

答題範例

A1: Thousands of people have gathered to protest against the government.
數千人聚集抗議政府。

A2: A father and son are posing for a picture with their dog.
父親和兒子及他們的狗在爲照相擺姿勢。

A3: A girl is holding an open book.
一個女孩拿著一本打開的書。

A4: A man is cutting a tree in the forest.
一位男人在森林裡砍樹。

A5: The cat enjoys playing with a ball.
貓喜歡玩球。

** ———

gather [ˈgæðɚ] *v.* 聚集
protest [prəˈtɛst] *v.* 抗議　　pose [poz] *v.* 擺姿勢
forest [ˈfɔrɪst] *n.* 森林

Questions 6-7: Respond to a Written Request

➤ Question 6:

題目翻譯

說　明：閱讀以下的電子郵件。
寄件人：茱蒂・伯格 < bunny_cuddle@aol.com >
收件人：史帝夫・剛特 < shinyhappypeople@yahoo.com >
寄件日期：6 月 11 日星期二

史帝夫：

我要請你幫個忙。我的姪女今年秋天正在申請大學，我想你是否能瀏覽一下她的申請文章。她真的是一個很好的作者，但是我希望某個擁有你的專業知識的人可以校對文章，並讓一些地方更洗鍊。無論如何都讓我知道。

說明：你很樂意校對女孩的文章，但是你不會做任何重大改變。跟茱蒂解釋。

** niece〔nis〕*n.* 姪女
apply〔əˈplaɪ〕*v.* 申請　***take a look*** 瀏覽
application〔ˌæpləˈkeʃən〕*n.* 申請
essay〔ˈɛse〕*n.* 文章；論說文
expertise〔ˌɛkspɚˈtiz〕*n.* 專業知識
proofread〔ˈprufˌrid〕*v.* 校對
polish〔ˈpɑlɪʃ〕*v.* 洗鍊
one way or the other 無論如何；不管怎樣

答題範例

茱蒂：

當然，我很樂意看看你姪女的文章。謝謝你的讚美，但是妳知道的，恭維對我無效！哈哈。不，眞的，我會校對文章但我不會想要做任何重大的改變或「洗鍊它」，就像你說的。我希望你能夠理解。

無論如何，把文章寄給我，然後我會立刻進行。

最要好的，
史帝夫

** compliment〔ˈkɑmpləmənt〕*n.* 稱讚
flattery〔ˈflætərɪ〕*n.* 恭維　***get right on*** 立刻

➤ Question 7:

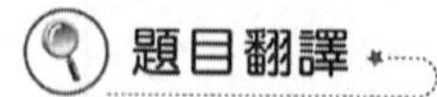

說　明：閱讀下面的電子郵件。
寄件人：傑夫・賈伯斯
收件人：莫堤・波特
主　旨：工作職缺
寄件時間：7 月 1 日

嗨，莫堤：

我昨天和唐・蓋利說話，而他建議我們將下次在達拉斯的員工會議錄影。這樣一來，我們可以寄一份複本給丹佛分公司，他們便可以了解發生什麼事。然而，我有一點擔心攝影機的存在會讓人們感到不舒服。請提出建議。

說明：提出你的意見和至少一個理由說明你爲什麼這麼想。

** opening〔ˈopənɪŋ〕*n.* 職缺
videotape〔ˈvɪdɪoˈtep〕*v.* 錄影
staff〔stæf〕*n.* 員工
Dallas〔ˈdæləs〕*n.* 達拉斯【美國德州的城市】
Denver〔ˈdɛnvɚ〕*n.* 丹佛【美國科羅拉多州的首府】
office〔ˈɔfɪs〕*n.* 分公司　　***catch up on*** 了解；得到…消息
concerned〔kənˈsɝnd〕*adj.* 擔心的
presence〔ˈprɛzn̩s〕*n.* 存在
camera〔ˈkæmərə〕*n.* 攝影機
uncomfortable〔ʌnˈkʌmfɚtəbl̩〕*adj.* 不舒服的
advise〔ədˈvaɪz〕*v.* 提出建議

答題範例

> 傑夫：
>
> 我認爲我們應該進行並錄下會議。首先，唐・蓋利會進行大部份的談話，所以如果他可以的話，就沒有問題了。再者，丹佛分公司一直要求我們建立視訊會議系統，而我認爲這個至少可以讓我們更進一步。所以這是我的意見。

** ***go ahead*** 進行　　record〔rɪˈkɔrd〕*v.* 錄影
majority〔məˈdʒɔrətɪ〕*n.* 大部份
furthermore〔ˈfɝðɚˌmor〕*adv.* 再者
conferencing〔ˈkɑnfərənsɪŋ〕*n.* 會議
cent〔sɛnt〕*n.* 分（錢）
This is my two cents. 這是我的意見。

Question 8: Write an Opinion Essay

題目翻譯

人們會隨著時間改變嗎，或者他們的個性會維持不變？用理由和/或例子來支持你的意見。

** personality (ˌpɝsn̩ˈælətɪ) *n.* 個性

答題範例

我想，在大多數的例子中，你在青少年時是什麼樣的人，你的餘生就大概會是什麼樣的人。這讓我想起一段我曾讀過的引言：「在 20 歲時你有很多欲望掩飾了眞相，但是超過 40 歲時，那裡只剩下現實和脆弱的事實——你的能力和你的缺點。」但是所有的規則都還是有例外。

** adolescent (ˌædl̩ˈɛsn̩t) *n.* 青少年
the rest of one's life 某人的餘生
remind (rɪˈmaɪd) *v.* 使…想起
quote (kwot) *n.* 引言　　desire (dɪˈzaɪr) *n.* 欲望
truth (truθ) *n.* 眞相
beyond (bɪˈjɑnd) *prep.* 超過…
real (ˈriəl) *adj.* 眞的　　fragile (ˈfrædʒəl) *adj.* 脆弱的
ability (əˈbɪlətɪ) *n.* 能力
failing (ˈfelɪŋ) *n.* 缺點
exception (ɪkˈsɛpʃən) *n.* 例外

長期脾氣暴躁的人不會在一夜之間變地令人愉快和討人喜歡。然而，一個順從的人可以成長爲獨立且果斷。這是因爲人們的個性、嗜好和情緒基礎可以隨時間改變，主要是因爲他人的影響。

** chronically〔ˈkrɑnɪklɪ〕*adv.* 長期地
grumpy〔ˈgrʌmpɪ〕*adj.* 脾氣暴躁的
pleasant〔ˈplɛzn̩t〕*adj.* 令人愉快的
agreeable〔əˈgriəbl̩〕*adj.* 討人喜歡的
overnight〔ˈovəˈnaɪt〕*adv.* 一夜之間
submissive〔səbˈmɪsɪv〕*adj.* 順從的
independent〔ˌɪndɪˈpɛndənt〕*adj.* 獨立的
assertive〔əˈsɝtɪv〕*adj.* 果斷的
personality〔ˌpɝsn̩ˈælətɪ〕*n.* 個性
emotional〔ɪˈmoʃənl̩〕*adj.* 情緒的
grounding〔ˈgraʊndɪŋ〕*n.* 基礎
primarily〔ˈpraɪˌmɛrəlɪ〕*adv.* 主要地

想像你在高中之後不和人們互動，你在你的房間裡讀書和看錄影課程，並取得你的大學文憑。你還是很有可能因爲一堂好的哲學或英文課而改變。你大概會在空閒時間讀很多書，而這也可能導致你看事情的方法不同。但是總之，你可能會和高中後期時的你一樣。

** imagine〔ɪˈmædʒɪn〕*v.* 想像
interact〔ˌɪntəˈækt〕*v.* 互動
degree〔dɪˈgri〕*n.* 文憑
tape〔tep〕*v.* 錄影　　lecture〔ˈlɛktʃə〕*n.* 課
philosophy〔fəˈlɑsəfɪ〕*n.* 哲學
leisure〔ˈliʒə〕*adj.* 空閒的　　cause〔kɔz〕*v.* 導致

但是，大改變可能發生於一個人被很多同儕圍繞的時候。觀察你的朋友和檢視他們的生活型態並與自己的比較是件容易的事。如果你對自己很誠實，你可以發現或許他們在某些方面比你好。或許你會發現你比你的朋友停留在更多的錯誤中，而你會反問自己為什麼。或者你可能發現你比應當的還要有組織，或者你和相同的人太常一起打發時間。在別人身旁讓我們對我們自己生活的一切提出疑問，這是一個重申且使人不安的過程，但通常導致改變。

** surround〔 sə'raʊnd 〕*v.* 圍繞　　peer〔 pɪr 〕*n.* 同儕
observe〔 əb'zɝv 〕*v.* 觀察
examine〔 ɪg'zæmɪn 〕*v.* 檢視；檢查
lifestyle〔 'laɪf,staɪl 〕*n.* 生活方式
compare〔 kəm'pɛr 〕*v.* 比較
dwell〔 dwɛl 〕*v.* 居住　　***dwell on*** 停留在
discover〔 dɪ'skʌvɚ 〕*v.* 發現
organized〔 'ɔrgən,aɪzd 〕*adj.* 有組織的
hang out 一起打發時間
question〔 'kwɛstʃən 〕*v.* 提出疑問
process〔 'prɑsɛs 〕*n.* 過程
reaffirm〔 ,riə'fɝm 〕*adj.* 重申的
unsettling〔 ʌn'sɛtl̩ɪŋ 〕*adj.* 使人不安的

雖然並非所有人都會改變。還是有我們認識的人像從前一樣是令人焦躁的、骯髒的、膽小的或是依賴心重的。但是改變的機會一直存在。

** abrasive〔 ə'bresɪv 〕*adj.* 令人焦躁的
messy〔 'mɛsɪ 〕*adj.* 骯髒的　　timid〔 'tɪmɪd 〕*adj.* 膽小的
clingy〔 'klɪŋɪ 〕*adj.* 依賴心重的